KB171966

복수의 미로 : 인류의 뿌리

발 행 | 2024-06-10
저 자 | 최영환
펴낸이 | 한건희
펴낸곳 | 주식회사 부크크
출판사등록 | 2014.07.15(제2014-16호)
주 소 | 서울 금천구 가산디지털1로 119, A동 305호
전 화 | 1670 - 8316
이메일 | info@bookk.co.kr
ISBN | 979-11-410-8882-8
www.bookk.co.kr

복수의 미로 : 인류의 뿌리

최영환 지음

CONTENT

<복수의 미로: 인류의 뿌리>

화성과 금성, 그리고 지구. 이 세 행성은 각기 다른 운명을 가진 채, 수억 년 동안 서로를 멀리서만 바라봤다. 그리고 소시오패스인 한 남자의 끔찍한 복수로 신인류가 태어났다.

그렇다면, 현재 우리 조상인 '지구 인류의 뿌리'는 어떻게 형성되었을까? 라는 간단한 질문이 떠올랐다. 그리하여, 이번 이야기는 화성에서 금성으로, 그리고 다시 지구로 돌아온 신인류와 지구인의 욕망이 어떤 세상을 창조했는지 그렸다.

지구는 화성에서 온 남자와 금성에서 온 여자인 신인류의 등장으로 새로운 행성이 열렸다.

그들은 각기 다른 행성에서 독특한 방식으로 살아왔다. 선과 악의 구분 없이, 도덕과 법의 굴레에서 벗어나, 자신들의 방식으로 자급자족하며 살아가는 사회를 구축했다. 그들에게는 어떠한 잣대도, 규범적인 틀도 없었다. 오직 개인의 자유와 독립성이 존중받는 세상이었다. 그리고 그들이 지구로 오면서 한때 우리가 알고 있는 삶은 달라졌고, 지구인은 이제 흔적조차 남지 않고 모두 자취를 감췄다.

새로운 문명을 지구에 실현하고자 한 그들은, 지구인을 다른 차원으로 보내며, 푸른 빛을 지키려 했다. 그들의 행동은 단순한 악의나 잔혹함 때문이 아니었다. 그들은 지구인의 분쟁과 갈등, 탐욕과 복수를 초월한 새로운 문명을 건설하기 위함이었다. 오직 평화와 공존만이 살아있는 세계.

어느덧, 지구는 영롱하고 순수한 크리스털 빛으로 물들었다. 그러나, 그들은 무언가 '단 하나'를 놓쳤다.

그 무언가는 인류의 거대한 뿌리에서 드러났다. 그것은 지구인들이 만들어낸 모든 갈등과 전쟁, 분열과 혼돈의 원인이기도 했다. 아담과 이브의 모티브를 가진 이 이야기는 다시 한번 인류의 본성과 욕망을 시험대에 올려놓는다. 화성에서 온 남자와 금성에서 온 여자는 이 문제를 함께 해결하고자 투쟁했지만, 결국 그 자리에는 우뚝 2개의 고대석만이 남았다. 그 전쟁 속에서 살아남은 몇몇은 자신의 창조물이 어떻게 변하는지 지켜보면서, 인간 본성의 어두운 뿌리를 발견했다.

그들은 얼마나 새로운 시대를 유지할 수 있을까?

이제, 과거, 현재, 그리고 미래가 하나로 엮이는 그 순간을 함께 알아보자.

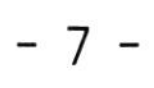

1

새로운 세상

평화와 조화의 상징인 지구의 푸른 대지는 어느새, 하늘을 가득 메운 스모그와 수많은 전투 드론들이 공중을 뒤덮고 있었다. 인간의 끝없는 소유욕과 권력에 대한 갈망은 지구를 핵전쟁 직전까지 몰아넣었다. 지구는 이제 그 푸름을 서서히 잃고 있었다.

도시 곳곳에 세워진 거대한 광고판들은 경제적 불평등과 사회적 갈등을 조장했다. 그리고 자본주의의 심장이었던 대도시들은 화려한 네온사인과 번쩍이는 빌딩들로 빽빽했지만, 그 이면에는 빈곤과 절망이 깔려있다. 사람들은 한없이 더 많은 것을 원했고, 더 많이 가질수록 행복하다는 착각에 빠져 있었다.

각 나라의 대통령은 핵무기 발사 버튼 앞에 앉아 땀이 흐르는 손바닥을 굳게 쥔 채, 고민하는 중이었다. 표정은 피로와 긴장감이 역력했다. 계속되는 협상과 회의 속에서도 서로를 신뢰하지 못했다. 뒤이은 비밀 회담과 음모는 지구의 운명을 점점 더 불확실하게 만들었다.

팽팽한 긴장감이 감도는 워싱턴 D.C.의 백악관 상황실에서 미국 대통령은 러시아와 중국의 동향을 실시간으로 보고받았다. "러시아와 중국의 함대가 동중국해에서 집결 중입니다," 정보국장이 보고했다. 그의 얼굴은 심각하게 굳어졌다. "모든 가능성을 대비하라. 우리는 어떤 도발도 용납하지 않을 것이다."

모스크바, 크렘린궁. 러시아 대통령은 자신의 책상 위에 놓인 전략 지도를 바라보며 정세를 살폈다. "중국과의 연합이 성공적으로 진행되고 있습니다. 우리는 미국의 모든 움직임을 샅샅이 주시하고 있습니다," 국방부 장관이 보고했다. 그는 고개를 끄덕였다. "우리는 어떤 희생이 따르더라도 반드시 이겨야 한다."

베이징, 중난하이. 중국 주석은 자신의 참모들과 함께 군사작전을 펼치고 있었다. "미국함대가 우리 영해 근처에 접근하고 있습니다. 즉각적인 대응이 필요합니다," 군 참모총장이 말했다. 그러자, 주석은 결단을 내렸다. "모든 병력을 준비시켜라. 우리는 이 전쟁에서 물러설 수 없다."

대륙 간 탄도 미사일(ICBM)이 발사 준비 상태로 전환되었고, 전략폭격기들이 공중에서 명령을 대기 중이었다. 뉴욕, 런던, 도쿄, 파리 등 주요 도시의 시민들은 공포에 질린 채 뉴스 속보를 지켜보고 있었다. 미사일 방어 시스템이 가동되었고, 각국의 군대는 전쟁 발발에 대비해 최고 경계 태세에 돌입했다.

UN 본부에서는 마지막으로 평화 유지 협상이 진행 중이었다. 각국의 대표들은 치열한 논쟁을 벌였지만, 이미 믿음은 거덜 났고, 증오만이 남았다. "우리는 타협해야 합니다. 지구의 미래가 걸린 문제입니다," 사무총장이 절박하게 호소했다. 그러나 그의 목소리는 공허한 메아리처럼 회의장을 울렸다.

두둥. 그 순간, 차원문이 열렸다. 신인류의 도착은 그야말로 신의 한 수였다. 핵전쟁의 불씨가 화염이 되어가는 그 순간, 지구는 새로운 희망과 두려움 속에서 신인류를 맞이했다. 인간의 소유욕과 욕망이 지구를 파괴할 것인지, 아니면 신인류는 지구를 파멸로부터 구원할 것인지. 푸른 행성의 운명은 그들의 손에 달려 있었다.

핵전쟁이 발발하기 직전, 지구의 미래는 불투명했지만, 한 가지는 분명했다. 이제는 과거로 돌아갈 수 없다는 것이었다. 국제회의에서는 더 많은 자원을 차지하기 위한 논쟁이 지속해서 벌어졌고, 군사적 충돌은 피할 수 없는 상황으로 치달았다. 각국의 대표들은 자기 나라의 이익을 최우선으로 생각하며, 전체의 미래보다는 눈앞의 이익에 집중했다. 이기심과 탐욕이 판치는 세계에서, 평화는 단지 허울 좋은 구호에 불과했다. 국민은 점점 더 불안해졌다. 전 세계적으로 일어나는 폭동과 시위는 지구가 한계에 다다랐음을 보여주고 있었다. 무질서한 거리는 아비규환이었으며, 사람들은 서로를 의심하고 불신했다. 정부는 군사력을 동원해 시민들의 질서를 유지하려 했지만, 그마저도 한계에 부딪혔다.

한편, 에바는 금성의 유물 앞에서 시계를 두드리고 차원문을 열었다. 심호흡하고 들어가자, 화성의 황폐한 풍경이 눈앞에 펼쳐졌다. 붉은 사막과 끝없이 펼쳐진 메마른 대지, 여기저기에 흩어져 있는 폐허들이 가난한 문명의 흔적을 보여주고 있었다. 에바는 수준 높은 두뇌를 가진 몇몇 지도자들을 만나기 위해 발걸음을 옮겼다.

화성의 지도자들은 에바가 도착했다는 소식을 듣고 한자리에 모였다. 그들의 얼굴에는 고단함과 낙담이 서려 있었다. 에바는 지도자들의 시선이 자신에게 집중되는 것을 느끼며 입을 열었다.

"저는 금성에서 왔습니다. 지구의 미래를 위해 여러분의 도움이 필요합니다," 그녀는 단호하게 말했다. "저는 여러분을 지구로 데려가고 싶습니다. 지구는 여러분이 필요합니다."

화성인 지도자 중 한 명이 나서며 물었다. "왜 우리가 지구로 가야 합니까? 금성으로 갈 수는 없습니까?"

다른 지도자가 한숨을 쉬며 말했다. "맞습니다. 우리는 하루하루가 힘겹습니다. 식물이 모두 메말라서 살아갈 희망이 없습니다. 금성은 자원이 풍부하다던데, 왜 그곳으로 가면 안 되는 겁니까?"

에바는 고개를 저으며 주위를 둘러보았다.

"금성은 XX 염색체를 가진 이들만이 살 수 있는 곳입니다. 여러분은 그곳에서 살 수 없습니다. 대신, 자원이 풍부한 지구로 가야 합니다. 지구에서 새로운 기회를 찾아야 합니다."

"여러분도 잘 아시다시피, 이곳은 이미 황폐해졌고, 문명도 발달하지 않았습니다. 이곳에서 계속 삶을 영위하기는 힘들 것입니다."

다른 지도자가 한숨을 쉬며 말했다. "맞습니다. 하지만 금성인에게 우리가 필요하다니, 그 이유를 듣고 싶습니다."

에바는 그들의 눈을 바라보며 진지하게 말했다. "지구는 여러분과 같은 남자와 여자라는 다른 종족이 같이 공존하는 행성입니다. 우리는 여러분이 가진 독특한 능력이 필요합니다. XY 염색체는 완벽한 중도의 행성을 만드는 데 꼭 필요합니다. 그리고 무엇보다 당신들은 선구자의 철학이 깊이 뿌리박혀있기 때문에 저희와 같이 가도 문제 되지 않습니다."

화성인들은 여자라는 단어를 처음 들어봤지만, 서로를 쳐다보며 정적이 흘렀다. 에바의 제안은 솔깃했다. 이 황폐한 화성을 벗어나 새로운 기회를 찾아 떠나는 것은 그들에게도 좋은 조건이었다.

지도자 중 한 명이 조심스럽게 물었다. "여자요?, 그게 뭐죠?, 그리고 지구에서는 우리가 어떤 역할을 하게 될까요?"

에바는 미소를 지으며 대답했다. "여자는 앞서 말한 것처럼, XX 염색체를 가진 인류입니다. 지금 그 종족을 전부 설명하기에는 시간이 촉박해요. 여러분의 염색체와 경험으로 새로운 세상을 만들어 봅시다. 평화롭고 균형 잡힌 세상을 말입니다!"

화성인들은 고개를 끄덕였다. "좋습니다. 우리는 당신의 제안을 받아들이겠습니다, 그런데 다짜고짜 우리한테 넘어와서, 설득하는데 도대체 언제 출발하죠?" 지도자가 말했다.

에바는 안도하며 고개를 끄덕였다. "성격도 급하시기는. 우리는 정확히 일주일 뒤에 각자의 행성에서 지구로 갑니다. 이제 함께 그 행성을 다른 빛으로 물들입시다."

일주일이 지나 에바와 금성인들 그리고 화성인들은 각자의 차원문을 열고 지구로 향했다. 금성인들의 이동과 화성인들의 공조로 에바는 지구가 진정한 중도의 길을 걸을 수 있다는 희망을 품었다.

지구의 급변하는 혼란 속에서 신인류는 그녀의 인도로 갑작스럽게 도착했다. 그들은 차원문으로 나와 지구인의 눈을 피해 각처에서 나타났고, 심해의 어둠 속에 집결해 조용히 숨죽이며 지구인을 지켜봤다. 이곳은 지구에서 가장 깊고 어두운 곳이었지만, 신인류들의 발전된 문명은 어느 환경에서도 쉽게 적응했다.

깊고 조용한 심해 속에서, 금성인 리아와 화성인 카일은 은밀한 대화를 나눴다. 그들의 눈앞에 지구인들이 싸우는 모습을 담은 홀로그램이 둥둥 떠올랐다. 서로를 향해 총을 겨누자, 불꽃이 휘날렸고, 도시들은 잿더미로 변해가는 모습이 선명했다.

리아는 공기를 살며시 들이마시고는 입을 가리고 속삭였다.

"이상한 냄새가 나는 거 같아."

지구의 흙이나 식물의 향기가 아닌, 산소와 오존의 혼합물 비스름한 알 수 없는 냄새였다. 그녀는 친숙지 않은 냄새로 이상한 감정이 일어나며, 쥐어짜는 듯한 두통이 나타났다. "이 냄새는 도대체 뭐야?" 그녀가 주변을 둘러보며, 이유를 찾아보려 했지만, 아무것도 보이지 않았다. 그 냄새가 공간을 더욱 휘감자 그녀는 주변을 살피며 투덜댔다.

카일은 그녀를 바라보며 어깨를 으쓱였다. "지구인의 특유한 냄새인가?"
그녀는 눈을 가늘게 뜨고. "그런가? 그들의 존재를 느낄 수 있는 냄새 같아." 그들의 냄새는 신인류들에게 익숙지 않았다. "지구인은 왜 이상한 특유의 냄새가 나?" 그리고 자신의 몸을 맡아보며 리아가 말했다. "근데, 왜 나는 냄새가 안 나?"

카일은 그녀의 말이 귀찮다는 듯이 대충 대답했다. "그건 나도 모르겠어. 아마 우리의 신체 구조나 물리적 특성 때문일지도."

"어?. 하지만 너도 뭔가 강한 매운 냄새가 나." 리아가 말했다. 그녀는 코를 찡그리며 한 손으로는 코를 가리고 다른 손으로는 카일의 팔을 가리켰다. 카일은 자신의 갑옷을 풀어 팔을 자세히 살펴보았다. "진짜로?" 자신의 코에 팔을 갖다 댔다. "맡아보니 뭔가 매운 냄새가 나긴 나는 거 같은데?"

리아는 깔깔깔 박장대소하며, 카일에게 고개를 끊임없이 끄덕였다. 이어서 그녀는 한숨을 쉬며 말했다. 왜 저렇게 서로 끝없이 싸우려고만 들까?" 그녀의 목소리는 고새 깊은 안타까움과 피로감이 묻어났다. "저들 사이에는 중도가 없는 걸까?"

카일은 고개를 끄덕였다. "지구로 오기 전, 선구자가 쓴 지구의 역사책을 보면, 언제나 탐욕과 권력욕이 문제의 중심에 있었어. 자원과 권력을 차지하려는 욕망이 한없이 갈등을 불러일으켰지."

리아는 홀로그램을 바라보며 눈을 찡그렸다. "금성에서는 소유욕이란 개념 자체가 없어. 우리는 자원이 무한하고, 모든 것이 조화롭게 유지돼. 서로 싸울 이유가 없지. 그런데 지구인들은 왜 그렇게 자원을 탐내고, 서로를 적대시할까?"

카일이 잠시 생각에 잠겼다가 말했다. "아마도 그들은 부족함 속에서 살아왔기 때문일 거야. 항상 자원이 한정되어 있었고, 이를 두고 경쟁해야 했으니까. 하지만 그들이 알지 못하는 건, 그 경쟁이 결국 파멸을 불러온다는 사실이지."

그녀는 홀로그램을 다시 바라보았다. "우리가 이렇게 숨어서 지켜보고 있는 것도, 결국 저들이 우리를 적대시할까 봐 두려워서잖아. 우리의 존재를 알게 되면, 또 다른 갈등이 생길 거야."

카일은 고개를 끄덕이며 동의했다. "맞아. 그래서 우리는 신중해야 해. 우리의 기술과 지식을 그들과 나눌 수 있을지는 모르지만, 먼저 그들이 변해야 해. 조화롭게 살아가는 방법을 배워야 해."

리아는 깊은 숨을 내쉬었다. "하지만 그들이 변할 수 있을까? 지금 저 모습을 보면 희망이 보이지 않아."

카일은 리아의 어깨에 손을 올리며 위로했다. "어쩌면 시간이 걸릴지 모르지만, 우리는 계속해서 그들을 지켜보며 기회를 찾아야 해." 그들은 다시 조용히 어둠 속으로 스며들며, 눈을 치켜세웠다.

그들은 지구인들이 자원의 고갈과 갈등으로 계속해서 싸우고, 탐욕스러운 욕망을 채우기 위해 서로에게 배신하는 모습을 바라봤다. 그리고 얼마 안 지나, 지구는 재차 핵전쟁으로 파멸할 수 있는 위험에 사로잡혔다. 화성인은 자신들의 행성에서는 물과 식량이 부족해도 싸움이 일어나지 않았지만, 지구는 풍부한 자원을 가지고도 여전히 갈등이 일어나는 것이 이해되지 않았다.

"우리는 물과 식량이 부족해도 서로를 죽이진 않았는데, 지구는 우리보다 많은 것을 가졌음에도 불구하고 왜 서로를 파괴하는 거지?" 제대로 지구의 역사 공부를 하지 않은 다른 화성인이 물었다.

"그것이 바로 문제야. 자원이 풍족하더라도, 인간의 깊은 곳에는 항상 더 많이 가지려는 욕망이 있어. 그래서 그래," 금성인이 대답했다.

"지구인들은 너무 탐욕스러워. 그들과 같이 중도의 길을 걸을 수는 없을까?" 화성인은 말했다.

신인류는 인간들이 꿈꾸던 완벽한 사회의 모습을 가지고 있었지만, 그들이 지구의 혼란을 가라앉힐 수 있을지는 확신할 수 없었다.

신인류가 도착하고 사흘이 지난 뒤, 상공은 긴박감과 공포로 에워싸였다. 전 세계가 전쟁의 소용돌이에 휩싸여, 핵전쟁의 서막이 열렸고, 각국의 핵탄두는 여러 미사일에 탑재되어 발사 준비를 마쳤다. 지구는 최후의 위기에 직면했고, 러시아와 중국, 그리고 미국을 비롯한 강대국들의 지도자들은 서로의 본토를 정조준하며, 발사를 명령했다.

먼저, ICBM(대륙간탄도미사일)이 지하의 격납고에서 천둥 같은 소리를 내며 솟아올랐다. 이 미사일들은 불꽃을 내뿜으며 하늘로 날아올라, 우주 궤도를 향해 속도를 더했다. 수십 개의 ICBM이 지구 상공을 가로지르며, 혜성처럼 긴 연기를 그리며 날아갔다. SLBM(잠수함발사탄도미사일)은 바닷속 잠수함에서 발사되었다. 잠수함의 미사일 발사관이 열리면서, 불꽃을 내뿜는 미사일들이 하늘로 솟구쳤다. 불꽃과 함께 치솟는 미사일들은 순식간에 지구의 대기로 진입하여 목표를 향해 돌진했다. 공중은 B-52 폭격기가 으르렁거리며 날아다녔다. 핵무기를 탑재하고 있었으며, 적국의 본토를 향해 치명적인 폭탄을 투하할 준비를 마쳤다. 폭격기의 엔진 소리는 하늘을 가르며, 지구의 상공은 이제 수많은 핵미사일이 교차하는 전쟁터가 되었다. 하늘에는 밝은 섬광과 함께 미사일이 폭발하며, 강력한 충격파가 대기권을 뒤흔들었다. 각국의 도시와 군사 기지는 순식간에 불바다가 됐고, 전 세계는 혼돈 속에 빠져들었다.

대기권을 가로지르는 섬광은 별똥별처럼 지구의 하늘을 수놓았다.

그 별똥별들은 소원을 들어주는 것이 아니라, 지구의 파멸을 예고했다. 수억 명의 사람들은 공포에 질려 하늘을 올려다볼 때마다 몸이 녹아내렸고, 재앙은 밝은 섬광 안에서 어두움이 뻗어 나갔다. 나라의 지도자들은 힘이 곧 논리라고 외치며, 전쟁을 정당화했다. 그들은 강력한 무기로 권력을 과시하며, 많은 이들에게 암흑을 연설했다. 냉혹한 얼굴로 내린 명령이 앞으로 가져올 파괴와 죽음은 가늠하지 않는 듯 보였다.

라감의 아들인 재욱은 대한민국에서 과거의 어두운 장면들이 떠올랐다. 엄마를 향한 영환의 복수는 냉혹하고 잔인했다. 그녀는 납치되어 어둠 속에서 고통의 시간을 보냈다. 감옥에서 끝없는 고문과 정신적 학대가 잇달았고, 그녀는 무력하게 그 고통을 견뎌야 했다. 영환은 복수심에 불타올라, 그녀의 모든 것을 파괴하려 했다. 그녀가 납치되었던 그 날, 그의 눈은 복수의 불꽃으로 타올랐다. 그녀를 용문성과 북한의 감옥, 우주정거장에 가두고, 환희의 목소리로 그녀를 조롱했다. “힘이 곧 논리다”라며 냉소적으로 말하며, 엄마의 고통을 즐겼다. 엄마를 지배한 영환의 기억이 맞물리면서, 분노와 슬픔이 스쳐 지나갔다.

지구의 지도자들도 역시 자신들이 올바른 길을 가고 있다고 확신하며, 힘을 증명했다. 그들의 논리는 파국으로 치달았고, 과거 영환이가 라감을 지배하며 느꼈던 그 어두운 쾌감은 이제 지구의 지도자들의 얼굴에서 그대로 드러났다. 복수에 이은 복수로 수많은 지구 생명체들의 목숨을 앗아가고 있었다. 하늘로 슝~ 소리와 함께 가로지르는 미사일의 섬광은, 그가 그녀에게 가했던 고통의 섬광과 같았고, 그 섬광들은 피할 수 없는 운명을 향해 날아가며, 파멸 속에서도 힘으로 지배하려 했던 어리석음을 닮았다.

지구는 그 어느 때보다 어두운 그림자에 덮여, 돌이킬 수 없었다. 일부 핵은 본토에 떨어졌고, 하늘의 불덩이들이 대지를 불태우고, 대기권을 흔들며 지구의 운명을 바꿔놓고 있었다. 지구는 아비규환이었다.

에바는 미사일이 서로에게 날아다니는 현장을 보자, 미래에서 보았던 비극적인 일을 막아야 한다며. 빠르게 움직였다. 그녀는 엄숙한 표정으로 말을 꺼냈다.

"푸른 지구에서 불타는 대지와 불기둥 속의 화염을 진화해야 합니다. 그들이 사라지지 않는 한, 지구는 계속해서 종말로 내달릴 것입니다."

그녀의 말에 신인류는 동의하며 고개를 끄덕였다. 그들은 이미 화성에서 겪은 고난과 금성에서 배운 지혜로 결심을 굳혔다. 지구를 구하기 위해서는 과감한 결단이 필요했다.

"먼저 지구의 정치인들을 사라지게 만들어야 합니다," 심해 속 에바가 조용히 말했다. 그녀의 목소리는 단호하면서도 차분했다. 지구인에서 금성인으로 변한 에바는 '살해'나 '살인'이라는 단어를 사용하지 않았다. 그녀의 종족은 그런 개념조차 없었기 때문에, 다른 방식으로 상황을 설명해야 했다. "특유의 냄새 나는 검은 머리 짐승들을 다른 차원으로 보냅시다."

에바의 말은 냉철하고 명확했다. 그녀는 혹시라도 그들의 정체성에 숨겨진 폭력에 기름을 부으면 안 됐기 때문이었다.

"우리는 지구를 이대로 두어선 안 됩니다," 에바가 말을 이었다.

일부 화성의 지도자들은 혼란스러워했지만, 그녀는 그들이 이해하지 못하더라도, 자신이 해야 할 일을 알았다. 그녀는 금성인의 발전된 기술과 지식을 활용하여, 계획을 세웠다. 지구를 위해, 지구의 미래를 위해, 그리고 모든 생명을 위해, 이 결단을 실행으로 옮겼다. 그녀의 마음속에는 불타는 대지와 화염이 사라진 뒤, 금성을 뛰어넘는 중도의 세계, 그리고 영롱하고 아름다운 빛으로 감도는 세상이 될 수 있다고 생각했다.

에바가 손을 들어 신호를 보냈다. 금성인들은 계획에 따라 고도의 기술력을 활용해 신무기를 준비했고, 화성인들은 눈이 동그라지면서 그 무기를 받았다. 이 무기들은 신인류가 개발한 첨단 무기로 지구인들이 상상도 할 수 없는 것들이었다.

첫 번째로 사용된 무기는 '신경망 파괴기'였다. 이 무기는 고밀도의 전자파를 발사하여 목표물의 신경 시스템을 순간적으로 파괴하는 무기였다. 지구인들은 눈 깜짝할 사이에 고통 없이 쓰러져 시체도 남지 않고 그 자리에서 사라졌다. 이어진 무기는 '에너지 공명 분해기'였다. 이 무기는 물체를 이루는 분자를 개별 원자로 분해해 버리는 무기였다. 특정 주파수의 에너지를 방출하여 건물과 차량, 심지어 사람들까지도 순식간에 증발하듯 사라졌다. 에바와 신인류는 도심의 중심부를 향해 분자 분해기를 작동시켰다. 도시가 눈앞에서 사라지는 광경은 장엄했다.

또 다른 무기는 '중력 왜곡기'였다. 이 무기는 국지적인 중력장을 왜곡시켜 목표물을 압축하거나 반대로 분해하는 무기였다. 에바는 이 무기를 사용해 주요 군사 기지와 핵무기 저장고를 순식간에 무력화시켰다. 군사적 충돌은 무의미해졌고, 지구인들은 속수무책으로 당할 수밖에 없었다. 다음으로 사용된 무기는 '차원 파열기'였다. 이 무기는 특정 지역을 선택하여 그 지역을 다른 차원으로 보내버리는 무기였다. 에바는 이 무기를 사용해 지구의 주요 도시들을 차례로 다른 차원으로 보냈다. 일부 도시들은 원래 존재한 적 없었던 것처럼 흔적도 없이 사라졌다. '중력 붕괴 폭탄'도 하늘에서 떨어졌다. 금성인들이 개발한 이 무기는 폭발할 때 주변의 중력을 일시적으로 붕괴시켜, 폭발 반경 내의 모든 것을 압축하여 소멸시켰다. 이 폭탄이 떨어진 도시는 순식간에 지구에서 종적을 감췄다.

신문명 무기의 위력은 지구 전역에 걸쳐 발휘되었다. 도시들이 사라지고, 지구인들은 또 다른 혼란 속에 빠졌다. 비폭력적 전투가 벌어지는 동안 에바는 그들의 어수선한 모습을 지켜보았다. 그리고 마음속에서 울컥하는 감정을 억눌렀다. "어쩔 수 없는 우리의 선택이야." , "지구를 지키기 위해선 너희들이 사라져야만 해."

몇 시간이 지나 신인류들이 웅성거렸다. "모든 지구인이 사라졌다." 에바는 주변을 둘러보았다. "자. 이제 시작이야." 그녀는 조용히 말했다. "우리는 새로운 세상을 만들어갈 거야."

에바와 신인류는 지구를 신속하게 정화하고, 새로운 시작을 준비했다. 그들은 평화롭고 균형 잡힌 사회를 열기 위해 철저히 움직였다. 결코, 쉬운 결단은 아니었지만, 지구를 구하는 데 불가피한 희생이었다. 그녀는 마지막으로 주위를 둘러보며 말없이 눈물을 흘렸다. "지구는 다시 태어날 것입니다. 여러분"

신인류는 그녀의 말에 조용히 고개를 끄덕이며 혁신적인 시대를 맞이할 준비를 했다. 지구인들이 모두 사라진 후, 에바는 화성의 지도자들과 만났다. 그녀는 그들을 바라보며 말을 꺼냈다. "이제 지구에는 지도자가 필요 없습니다. 금성과 같이 지도자가 없는 사회로 나아가야 합니다. 중도의 길을 걷기 위해서는, 누구도 누구를 지배하지 않고 서로를 존중하며 살아가야 합니다." .

화성 지도자들은 그녀의 말을 경청했다. 에바의 말에는 깊은 진실이 담겨 있었다. "금성은 이미 발전된 문명으로 서로의 것을 탐하지 않고, 모두가 풍족하게 살고 있습니다. 그곳에는 제로섬 게임이 존재하지 않기 때문에 모두가 중도의 길을 걸을 수 있었습니다. 이제 지구도 그렇게 되어야 합니다," 에바가 덧붙였다.

화성 지도자들은 서로를 바라보며 고개를 끄덕였다. 그들은 이미 에바의 말에 깊게 공감했다.

"에바의 말이 맞아. 우리는 이제 지도자가 필요 없습니다. 모두가 서로를 존중하며 살아가야 합니다." 한 지도자가 자신의 견장을 내려놓으며 말했다. 나머지 지도자들도 그를 따라 자신의 붉은 견장을 하나둘씩 내려놓기 시작했다. 에바는 그들의 결정을 환호하며, 미소를 크게 지었다. 이제 지구는 금성과 같이 모두가 평화롭고, 행복하게 살아갈 수 있는 진정한 변화가 찾아오자, 검붉던 지구는 어느새 푸른빛이 겉돌더니 재빨리 영롱하고 투명한 빛으로 감돌기 시작했다.

1-1 화성에서 온 남자

지구로 오기 전 화성인의 행성은 대기가 얇고 황량한 붉은빛이 어렸다. 끝없는 모래 언덕과 바위투성이의 평원이 펼쳐졌고, 그 속에 드문드문 세워진 거대한 돔이 이 행성의 생명줄 역할을 하고 있었다. 돔 안에서 살아가는 화성인들은 대부분 영환이라는 이름의 선구자가 이곳에 처음 도착했을 때 남긴 흔적들을 지키며 살아갔다.

영환은 에바와 함께 화성에 도착한 선구자였다. 그들은 지구를 떠나 새로운 시작을 꿈꾸며 이 황량한 땅에 발을 디뎠다. 낮과 밤의 온도 차는 상상을 초월했고, 대기 중의 미세 먼지는 끈질기게 호흡을 방해했다. 하루하루가 생존을 위한 싸움이었다. 이곳의 환경은 예상보다 훨씬 가혹했다. 숨 막히는 대기와 극한의 기후 속에서 서로를 의지하며 버텼고, 돔을 건설하여 겨우 살아남을 수 있었다. 돔 안에는 정화시설을 설치해 공기를 정화하고, 식량을 재배하며, 물을 순환하는 시스템을 갖췄다. 하지만, 생명유지 장치 없이는 역시 돔 밖으로 나가는 일이 거의 불가능했으며, 때때로 목숨을 걸어야 했다.

시간이 지나, 그는 에바를 발전된 문명인 금성으로 떠나보냈고, 음울한 화성의 대지 위에 혼자 멀뚱히 서 있었다. 그의 마음은 고요함과 동시에 설렘이 충만했다. 그는 지속해서 화성의 환경에 적응하기 위해 연구하고, 돔을 개선하며, 차원문 시계를 이용해 지구로부터 자원을 끌어오고, 돔 안에서 생존할 수 있는 환경을 조성했다.

영환은 점점 지쳐갔다. 화성의 울적한 환경과 끊임없는 생존 투쟁은 그의 몸과 마음을 갉아먹었다. 그는 자신의 체력과 정신력이 한계에 다다르고 있음을 느꼈다. 그는 젖먹던 힘을 내며, 그곳에서의 생존을 위해 새로운 자원을 탐색하며, 고군분투하고 있던 어느 날, 화성의 두 위성인 데이모스와 포보스를 탐험했다. 차원문 시계를 이용해 먼저 데이모스로 향했다.

데이모스는 작고 거친 표면을 가진 위성이었다. 그곳에는 기이한 생명체의 흔적이 있었고, 마침내 미세한 생물체를 발견했다. 그리고 그것들이 특유의 강렬한 맛을 가진다는 것을 알게 되었다. 그 후 그는 포보스로 향했다. 포보스는 더욱 거대한 위성이었으며, 그곳에서도 또 다른 유형의 미생물을 발견했다. 이 미생물들은 데이모스에서 발견한 것과는 다른 독특한 풍미가 코로 향했다. 그리고 이 두 위성에서 발견한 미생물들을 채취하여 화성으로 돌아왔다. 그는 이것들을 자신이 돔 안에서 키우고 있던 싱거운 식물과 섞어보기로 했다. 그 식물들은 맛이 너무 밍밍해 입이 즐겁지 않았고, 영양도 보충하기 어려웠다. 시간이 지나자 그 식물들은 무럭무럭 자라 한 번 먹어보라며 큰 잎사귀가 기울여 인사를 했다.

며칠 후, 그는 변형된 식물을 저녁 식사로 올렸다. 지구에서 먹던 청양고추의 쌉싸름하고 매운맛이 입안을 뛰어다녔다. 처음에는 별다른 변화가 없었지만, 점점 그의 몸에 이상한 변화가 일어나기 시작했다. 사우나에 들어간 것처럼, 몸이 점점 열기로 가득 찼고, 배 안에서 뭔가가 끓어오르는 듯했다. 그리고 그저 몸이 뜨겁게 달아

오름을 넘어, 근육이 더욱 팽팽해지는 느낌이 들었다.

어느 날 밤, 그는 잠을 이루지 못하고 침대에서 뒤척였다. 갑작스럽게 찾아온 고통은 그의 은밀한 곳인 불알에서 시작됐다. 마치 불타는 듯한 통증이었고, 몸이 부들부들 떨렸다. 비명을 지르며 몸을 웅크렸다. 고통스러움이 점점 더 강해졌고, 눈에서는 눈물이 흘러내렸다.

"무슨 일이 일어나는 거지?" 혼란스럽고 두려운 마음으로 중얼거렸다. 오직 그 고통이 끝나기만을 바랄 수밖에 없었다. 그 순간, 그의 몸은 미묘하고, 이상한 반응을 보였다. 불알에서 나타난 괴로움이 점점 더 강렬해졌고, 결국 그의 불알이 데구루루 떨어져 나갔다. 그는 경악하며 자신의 하체를 내려다보았다. 떨어져 나간 불알 두 쪽을 믿을 수 없는 눈으로 바라보았다.

중력의 영향으로 두 개의 알은 미세하게 진동하며 진공 속에서 떠 있었다. 그리고 우주에서 불꽃놀이가 펼쳐지는 듯한 환상적인 광경이 발생했다. 빛나는 붉은 색의 불알이 노래하듯이 공중을 휘감고, 그 소리는 천사의 합창단이 울려 퍼지는 듯했다. 그는 놀라운 경험에 소름 끼치며, 알에 눈을 뗄 수가 없었다. 그리고 그 난해한 알들을 손으로 집어 들었다. "이게 대체 무슨 일이지? 어떻게 이런 일이…" 그의 손가락은 부드럽고 따뜻한 감촉을 느꼈고, 아까의 진동과 달리 세계의 모든 비밀을 품은 고요했다.

기묘한 신비로움 속의 알들이 무엇을 의미하는지 알 수 없었다. 그의 손바닥 위에서 알들은 다시 미세하게 진동했다.

며칠 후, 알들은 점점 더 활발하게 움직이기 시작했다. 그는 두려움과 놀라움 속에서 알들을 손에 다시 올려놓자 손바닥을 간질였다. 마침내 알이 뻔쩍 갈라졌고, 미세한 균열에서 붉은빛이 새어 나왔다. 그리고 숨을 죽이며 그 신비로운 광경을 지켜보았다.

두 알이 완전히 갈라지자, 그 안에서 작고 반짝이는 생명체가 모습을 드러냈다. 그는 그들이 발견된 기원지를 기리기 위해서 포모스와 데이모스라고 이름을 지었다. 그들은 3cm 정도의 크기로, 코딱지만큼 작았다. 몸은 작은 빛의 구슬처럼 빛났으며, 움직일 때마다, 작은 빛들이 주변을 휘감으며 환상적인 장면을 연출했다. 지구의 반딧불 같았다. 그는 그들의 작은 손가락과 발가락이 움직이는 것을 보며 감탄했다. 그리고 그들의 몸에서 나는 향기는 독특한 향이었다. 화성의 대기와 어우러진, 무언가 날카롭고 강렬한 향이었다. 그는 이 냄새가 익숙했다. 화성의 두 위성, 데이모스와 포보스를 탐사한 후 가져온 미생물에서 유래한 양념 때문이지 않을까? 고민했다. 어느새 돔 안은 그 매운 냄새가 차고 흘렀다.

"이 칼칼한 냄새, 익숙하고도 낯선 이 향기."

"내가 만든 이 양념이 후손들을 만들 줄이야." 영환은 자신도 웃긴

듯, 어색한 미소를 지으며 말했다. "어차피 필요도 없는 두 알이 큰 일을 해냈구나. 그리고 이 얼얼한 향이 앞으로 화성의 존재를 알리고, 역사를 증명할 거야."

그는 그 매운 냄새가 단순한 향기가 아닌 화성인의 정체성이라고 생각했다.
"우리의 후손들이 이 향기로 꿈과 희망을 이어나가길." 작은 몸집에서 움직일 때마다 나는 미세한 소리는 마치 조용한 바람 소리 같았다. 그들은 영환의 손 위에서 천천히 움직이며, 새로운 세계를 탐험하는 듯했다. 배고프지 않을까 생각한 영환은 돔 안에서 포모스와 데이모스에게 먹이를 주기 시작했다. 처음에는 지구에서 몰래 가져온 작은 빵 조각과 과일들을 조심스럽게 먹였다. 그들의 입에서 작은 이빨이 반짝이며, 음식을 씹어먹는 모습은 신비롭고 아름다웠다. 그들이 먹이를 먹을 때마다, 그들의 몸은 조금씩 커졌다.

데이모스와 포보스는 처음 태어났을 때부터 신비한 에너지를 뿜어냈다. 그들은 영환의 유전자 변형으로 고유한 능력을 지닌 듯했다. 바로, 자유로운 크기로 몸을 조절할 수 있는 유전자가 있었다. 지구인 기준, 남성 성인 키 정도로 커졌다가, 다시 작아졌다가 하는 모습을 반복해서 보여주었다. 그들의 신체가 유연하게 변하며, 마법 같은 능력을 선보이자, 영환은 그들의 변화를 보며, 경이로움 속 이상한 자부심이 일어났다.

이렇게 그는 자신의 몸에서 태어난 두 아들과 화성에서 새로운 세대를 열었다. 그는 그들에게 화성에서의 생존과 공동체의 중요성을 가르쳤고, 남의 것을 탐하지 말고 협력하며 살아가라고 강조했다.

어느 날, 영환은 금성에 간 에바를 기다리며, 돌연 병에 걸렸다. 그 병은 화성의 극한 환경에서 비롯되었다. 지구와는 다른 대기 성분과 극심한 기후 변화가 그의 몸을 불현듯 많이 무너뜨렸다. 그는 자신의 몸이 점점 약해지는 것을 느끼며, 마지막으로 아이들을 불러 인사를 했다. "아이들아, 내가 떠나더라도, 너희는 계속 살아남아야 한다. 서로를 도우며, 나의 가르침을 잊지 말아라."

아이들은 그의 주위에 모여 눈물을 흘렸다. 그는 평온한 얼굴로 그들을 바라보며, 마지막을 준비했다. 그의 숨이 점점 가늘어졌고, 마침내 탁하고 멈추었다. 몸은 차갑게 식어갔지만, 그의 영혼은 화성의 바람 속에 녹아들었다. 선구자가 그들에게 남긴 유산은 철학과 돔 속에서의 자급자족 방식 그리고 단 하나 남은 차원문 시계였다.

그가 죽은 후, 아이들은 그의 가르침을 이어받아 화성에서 살아갔다. 포모스와 데이모스가 5살이 되었을 때, 그들의 몸은 또 한 번의 변화를 겪었다. 그들의 불알도 강제로 떨어져 나가며, 영환이가 겪었던 같은 고통을 맞닥뜨렸다. 불알이 흩어지자, 그 자리에는 두 개의 알이 남았다. 고로 한 명당 두 아이가 태어나곤 했다. 그들의 몸에서 느껴지는 아픔 속에서 생명의 탄생을 예고하는 신비로운 에너지가 퍼져나갔다. 그 에너지는 돔 안을 완전히 채우며, 우주가 새로운 시작을 축하하는 듯한 느낌을 주었다. 알은 점점 더 활발하게 움직였고, 마침내 깨지기 시작했다. 네 개의 알에서 네 명의 아들이 태어났다.

화성에서는 새로운 생명이 계속해서 태어났다. 아이들에게 영환의 이야기는 신화로 남았고, 그의 가르침은 화성인들의 삶에 깊게 뿌리를 내렸다. 그의 희생과 헌신은 이 황량한 땅에 새로운 생명을 불어넣었고, 그가 남긴 철학이 그들의 삶에 새겨졌다. 하지만, 시간이 점차 지나자 그의 철학은 변질되어갔다.

포모스와 데이모스는 아버지의 철학으로 지도자로서 아이들을 통솔했다. 그들은 공동체를 형성하고, 태어나는 아이들을 교육했다. 나눔과 협력을 중시했으며, 남의 것을 탐하지 않는 정신을 강조했다. 그러나 이 철학은 문명의 발전에 있어서 치명적인 한계점이 존재했다.

어느덧, 포모스와 데이모스는 15세가 되자, 화성의 붉은 대지 위에 세워진 돔 안에서 삶을 마감했다. 그들의 문명은 아직도 발전하지 못했다. 모두가 서로의 것을 갈망하지 않았고, 협동으로 생존을 이어갔지만, 그것은 되레 경쟁과 혁신을 막는 족쇄로 돌아왔다.

돔 안에서는 계속해서 아이들이 태어났고, 건강하고 활기차게 자랐다. 태어나는 아이들은 모두 붉은 빛이 감도는 피부와 머리카락, 그리고 온몸이 적색 털로 뒤덮였다. 이 털은 특히, 어깨와 가슴, 팔과 다리 부분에서 더 두드러졌다. 털의 홍색은 마치 화성의 붉은 먼지 폭풍을 연상케 했고, 이 털은 체온을 조절하고 피부를 보호하는 역할을 했다. 핏빛 머리카락은 거칠고 두꺼웠으며, 햇빛을 받으면 불꽃이 타오르는 듯한 인상을 주었다. 얇은 투명막 아래로 미세하게 보이는 혈관들로 피부의 진홍 톤은 더욱 깊고 강렬하게 보였다.

햇빛이 돔을 통과할 때면 그들의 붉은 머리카락은 더욱 불타는 것처럼 빛났다. 눈동자는 어둡고 깊은 고동색이 번졌고, 공막은 일반적인 흰색이 아니라 연한 분홍빛을 띠었다. 이는 태양의 강렬한 빛을 더 효과적으로 차단하고 보호하기 위해 진화한 결과였다. 화성인들의 신체는 강인하고 탄탄했다. 그들의 근육은 마치 조각한 듯 선명하게 드러났고, 각 근육 섬유 하나하나가 붉은 피부 아래서 역동적으로 움직이는 것이 보였다. 그들의 팔과 다리는 길고 튼튼했으며, 손가락과 발가락은 길고 섬세하게 발달했다. 손가락 끝은 날카로운 발톱처럼 생겨, 필요할 때는 방어와 공격에 유용하게 사용되었고 손톱과 발톱도 자유자재로 길이를 조절할 수 있었다.

마찬가지로 키는 3cm~180cm까지 왔다 갔다 하며, 걸을 때마다 대지에 깊게 박히는 강력한 발걸음을 내디뎠다. 각진 얼굴윤곽으로 턱선은 날카롭고 견고했으며, 광대뼈는 높고 뚜렷하게 드러났다. 입술은 얇고 단단했으며, 웃을 때조차도 그들의 강렬한 카리스마를 감출 수 없었다. 코는 날카롭고 뚜렷한 라인을 그리며, 두 눈 사이에서부터 길게 뻗어 나갔다.

화성인들은 그 독특한 외형 덕분에 어디서나 눈에 띄었다. 그들은 돔 안에서, 노동의 중요성을 배우며 자랐다. 혹독한 환경 속에서 생존하기 위해 끊임없이 일해야 했다. 돔 안의 생태계를 유지하고, 자원을 관리하기 위해 평균 90억의 생명체가 끊임없이 일했으나, 그들의 평균 수명은 불과 14세에 불과했다.

죽기 전, 10살이 된 포모스와 데이모스가 지도자를 선정하는 날, 아이들은 올림푸스 화산에 설치한 거대한 중앙 돔에 모였다. 올림푸스 화산은 화성의 대지 위에 우뚝 솟아있어, 거대한 자연의 기적으로 불리며. 그 크기는 압도적인 존재감을 뿜어냈다. 해발 22㎞에 이르는 높이와 600㎞에 이르는 넓은 기저에 올라가면 화성의 표면이 전부 보였다. 화산은 화성의 하늘을 가리며, 언제나 붉게 물든 황혼의 풍경 속에서 신비롭고 웅장한 모습을 자랑했다. 경사는 완만하게 펼쳐져 있었고, 그 표면은 오래전 용암이 흘러내리며 남긴 검붉은 흔적이 세월을 말해줬다. 산 정상에 도달하면, 그 넓은 칼데라가 모습을 드러냈다. 신이 자연을 빚어내듯이 분화구는 거대한 경기장처럼 보였으며, 분화구의 경계선은 누군가 정교하게 다듬어 놓은 것처럼 정확하고 매끄러웠다. 분화구 중앙에는 과거 화산 활동의 흔적이 고스란히 남아 있었고, 이따금 미세한 연기가 피어오르며 여전히 숨 쉬고 있었다.

그리고 그 정상에는 커다란 중앙돔이 있었다. 이 돔은 화성의 혹독한 환경으로부터 사람들을 보호하기 위해 만들어진 그나마 발달한 기술의 산물이었다. 투명한 강화 유리로 만들어졌으며, 태양 빛을 최대한 받아들이면서도 안전하게 내부를 보존했다. 안에서는 푸른 식물들이 자라나고 있었고, 인공적으로 조성된 작은 숲이 돔의 중심부를 뚫고 지나갔다.

외벽을 따라 설치된 거대한 태양 전지판들은 태양의 에너지를 끌어모아 돔 내부의 생태계를 유지하는 데 필요한 전력을 공급했다. 상부에는 다양한 과학 장비들이 설치되어, 화성의 대기와 기후를 모니터링하며, 자원을 활용할 수 있는 방법들을 연구했다.

이곳은 단순한 거주지가 아니라, 화성의 가혹한 환경 속에서 인류가 생존할 수 있는 기반을 제공하는 중요한 장소였다. 화산의 정상에 있는 중앙 돔은 끈질긴 생명력을 상징하는 곳으로 선구자의 철학을 실천하며 작은 사회를 만들어 나갔다. 노동을 중요시하는 화성인들은 지도자를 선정하는 날 이른 아침에 일어나 식량을 재배하고, 물을 정화하며, 에너지를 생산하는 등 다양한 활동을 끝마쳤다. 그리고 일렬로 서서, 자신의 붉은 머리카락을 자랑스럽게 드러냈다. 각자의 머리 색은 태양 빛을 받아 더욱 풍요롭게 물들었다.

지도자를 뽑는 원리는 단순했다. 가장 빨간 머리카락을 지닌 아이가 지도자로 선정되었는데, 이는 선구자의 철학을 가장 순수하게 계승한 자로서의 상징이라고 생각됐기 때문이다. 그들은 그 빛이 선구자의 정신과 의지를 이어받는다고 믿었다.

아이들은 자신의 머리카락을 자랑스럽게 드러내며, 빛이 가장 강렬한 이가 누구인지 서로의 대가리를 살폈다. 한 소년의 머리카락이 유난히 빛났다. 그의 머리카락은 석양처럼 강렬했다. 모두의 시선이 그에게 쏠렸다.

"너의 이름은 무엇이냐?" 포모스가 아이에게 물었다.
"제 이름은 아레스입니다." 아이는 대답했다.

"아레스, 너는 이제 우리의 새로운 지도자다. 너의 머리카락은 아버지의 정신을 가장 잘 계승한 증거다. 우리의 미래를 이끌어라."

아레스는 겸손하게 고개를 숙이며, 자신의 임무를 숙지했다. 막연히 지도자로서 군림하는 것이 아니라, 철학을 배우고 가르치고, 돔 안의 모든 생명체가 협력하며 살아갈 수 있도록 하는 것이었다.

아레스는 그날부터 선구자의 철학을 포모스와 데이모스로부터 익혔고, 자신이 해야 할 일들을 하나씩 습득했다. 자신의 붉은 머리카락을 자랑스럽게 여기며, 또 다른 아이들에게 배움을 전파했다. 그러나 시간이 흘러 변질된 철학으로 돔 안의 생활은 여전히 혹독했다. 모든 생명체는 죽을 때까지 일했고, 평균 수명은 짧았다.

"요즘들어 몸이 너무 무거워. 영양 섭취량을 줄여야 할 것 같아."
포모스가 말했다. 그가 작게 줄어들면서 목소리도 점차 작아졌다.

"맞아, 나도 그렇게 생각해," 데이모스가 동의했다. 그의 몸도 서서히 줄어들고 있었다. "우리가 크기를 줄이면, 필요한 영양분도 적어질 거야. 자원을 아끼는 게 중요해."

"그런데, 우리가 너무 작아지면, 일을 할 수 있을까?" 또 다른 화성인이 의문을 품었다. 그의 얼굴에도 굶주림의 흔적이 흘러넘쳤다.

"걱정하지 마," 포모스가 다시 말했다. "우리는 유전자 변형 덕분에 언제든지 크기를 조절할 수 있어. 필요한 순간에만 커지면 돼. 그럼 에너지를 덜 소비하게 될 거야."

"그렇군. 한번 해보자," 다른 화성인이 말했다. 그는 스르륵 하며 자신의 몸을 줄이기 시작했다. 그의 몸은 알에서 깨어났을 때처럼, 코딱지만 한 크기로 변했다. "이렇게 하면, 우리가 더 오래 버틸 수 있을 거야."

"그래? 나도 따라 할게," 또 다른 화성인들도 하나둘씩 자신의 몸을 줄이기 시작했다. 그리고 점점 더 작아지며, 서로를 바라보았다.

"이렇게 작아지니, 배고픔이 덜 느껴져," 포모스가 말했다. 그의 작은 목소리가 돔 안에 고요히 퍼졌다.

"하지만, 여전히 식량이 필요해," 데이모스가 말했다. "우리는 돔 안에서 자라는 식물들을 최대한 활용해야 해. 그리고 필요할 때마다, 각자의 크기를 다르게 조절해서 필요한 일을 해야 해."

"그렇지. 이렇게 하면, 우리가 좀 더 오래 생존할 수 있을 거야."
포모스가 동의했다.

평균 14세가 되면, 대부분 아이는 기아와 질병으로 생을 마감했다. 자원은 고르게 분배되었지만, 부족한 자원과 기술력으로 아이들은 충분한 영양을 섭취할 수 없었고, 질병에 쉽게 노출되었다. 화성병, 선구자가 앓던 병이 금세 나타났고, 그들의 생명을 앗아갔다.

포모스와 데이모스는 아버지의 이상인 도덕과 법이 없는 행성을 만들려 했지만, 그 과정에서 많은 희생을 치렀고, 새로운 해결책을 찾기 위해 노력했다. 각자는 필요한 만큼만 가져가며, 남의 것을 탐하는 일은 없었으나, 이로 인해 결국, 누구도 열심히 일하려 하지 않았다. 이에 필요한 자원과 기술을 마련할 수 없었고, 돔 안의 생활은 점점 더 어려워졌다.

서로 경쟁하지 않고, 협력만을 추구하는 결과는 발전된 문명을 이룰 수도 없었으며, 거꾸로 퇴화했다. 생존에 필요한 충분한 자원을 확보하지 못했다. 가난 속에서 찌들어 목숨만을 부지하며 하루하루를 이어나갔다. 누구나 일하고 싶지 않았지만, 그나마 목숨을 연장할 수 있던 이유는 불알에서 뚝 떨어진 짧은 수명인 아이들이 반강

제적으로 다음 아이를 무한히 잉태하다 보니, 어쨌든 최소 생존보장한 노동력까지는 메꿀 수 있었다. 강한 노동력과 경쟁이 필요함에도 화성의 볼모의 대지는 꾸준히 깊은 상처와 주름으로 번졌다.

1-2 금성에서 온 여자

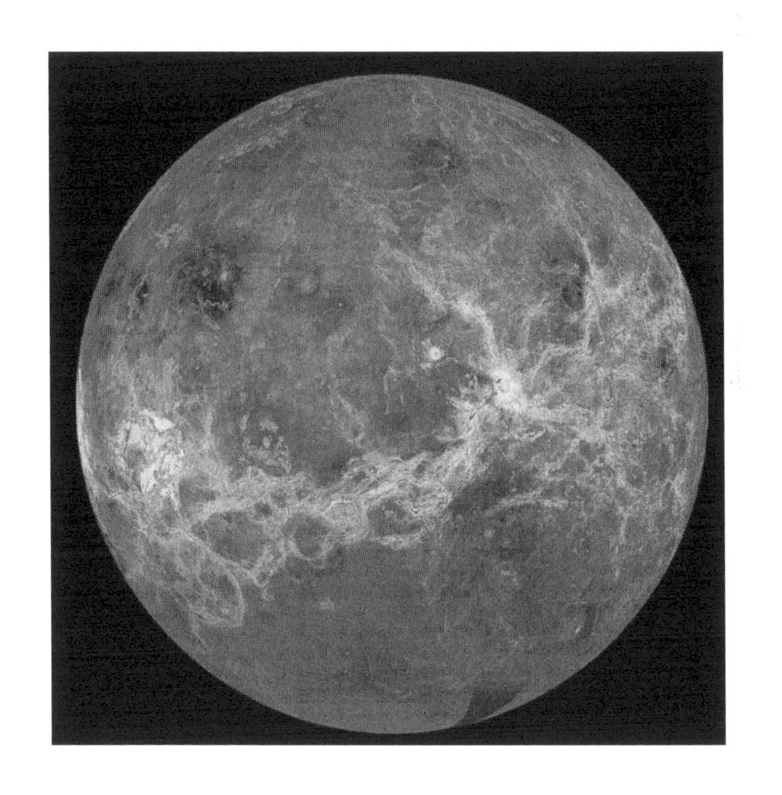

영환의 권유로 에바가 금성에 도착하자, 화성과 전혀 다른 세상이 눈앞에 드러났다. 이곳은 자연과 기술이 완벽하게 조화된, 눈부신 황금빛으로 물든 세계였다. 부드러운 공기 속 달콤한 향기는 어렸을 때 먹던 달고나가 생각났다. 그녀가 발을 딛는 땅은 따뜻하고 보드라웠으며, 걸을 때마다 알 수 없는 아름다운 식물들이 피어 있었다.

지도자도 없고, 소유의 개념도 없었다. 모든 것이 공유되고, 누구나 필요한 것을 자유롭게 이용할 수 있었다. 건물들의 황금빛은 금성인들의 삶의 방식을 상징했다. 가장 중요한 가치는 어울림과 균형이었다. 에바는 금성인들과 함께 생활하면서 그들의 삶의 방식을 터득했다. 그들은 노동이 필요 없는 삶을 살며, 로봇과 첨단 기술이 자동으로 관리되었고, 여유를 만끽하며 자연 속에서 자유롭게 살아갔다. 그야말로 중도의 행성이었다.

화려한 기술도 놀라움을 금치 못했다. 작은 캡슐이나 알약 하나면 의식주를 해결할 수 있었다. 식물들은 특별한 능력을 갖추고 있어서, 금성인들이 필요로 하는 모든 영양소를 제공했다. 에바가 식물로 구성된 작은 캡슐 하나를 입에 넣었을 때, 아무 맛도 느끼지 못했으나, 각종 신체에 필요한 영양분의 과즙이 몸을 충만케 했다. 그들은 이 알약을 1년에 1번만 섭취해도 살아가는데 전혀 문제 되지 않았다. 심지어 알약은 무제한으로 생성됐으며, 생존을 위해 어떤 걱정도 하지 않았다. 그들은 캡슐을 항상 갑옷 주머니 속에 넣고 다녔다.

음식은 가끔 4D 프린터로도 요리했다. 금성인들의 주식은 알약이지만, 이들은 알약 섭취가 창의력을 억제한다는 점을 돌연 깨닫고, 다양한 맛과 질감의 음식을 즐기기 위해 4D 프린터를 사용했다. 프린터는 분자 수준에서 재료를 조합하여 실제 요리와 거의 구별할 수 없는 음식을 만들어냈다. 그리고 잠을 자거나 휴식을 취할 때, 아무 땅에 캡슐을 던지면, 필요에 따라 모양이 변했다. 한 날에는 작은 스튜디오처럼, 다음 날에는 아파트처럼, 뒤이은 날에는 넓은 별장처럼.

또 홀로그램 기술을 이용하여, 원하는 옷을 언제든지 마음껏 입을 수 있었다. 금성인들의 의복은 단순한 기능을 넘어 감정과 기분을 표현하는 수단으로 발전했다.

일부 홀로그램이 아닌 '스마트 직물'로 만들어진 옷은 착용자의 신체 상태와 기분을 실시간으로 감지하여 색상과 패턴을 나타냈다. 기쁠 때는 밝은색, 슬플 때는 어두운색으로 변하며, 심지어는 날씨와 기온에 맞춰 자동으로 두께와 형태를 조절했다. 단순히 몸을 보호하는 것을 넘어, 금성인들 간의 교감과 소통을 돕는 중요한 도구였다. 예를 들어, 특별한 날에는 화려한 패턴과 빛나는 효과를 주어 축제 분위기를 돋우었고, 공공장소에서는 무채색의 단정한 모습으로 변해 예의를 표했다.

주거용을 제외한 상업용 건물들도 캡슐로 관리할 수 있었지만, 일부 도시는 그대로 존치해서 그들의 아름다움을 뽐어냈다. 지구의 건축양식과는 완전히 다르며. 화려하고 혁신적인 디자인이 돋보였다. 유기적인 곡선과 화려한 금색 장식으로 장식되어 있으며, 유리로 만들어진 건물들은 햇빛을 반사하여 눈부시게 빛났다. 높은 천장과 넓은 공간이 자유롭고 열린 분위기를 조성하며, 장인의 손이 깃든 섬세함은 금성의 혁신적인 기술력을 보여줬다. 내·외벽 모두 생체공학을 접합한 유기적인 재료로 만들어, 자연과 조화를 한층 더 이뤘다. 그리고 인공 지능과 연결되어, 주변 환경에 맞춰서 생태계를 보호하고, 금성이 유리한 방향으로 시시각각 변할 수 있었다. 자가 복구 시스템도 갖추어, 손상되거나 오래된 부분은 자동으로 재생되었다.

바로, '나노봇'이었다. 건축물뿐만 아니라 의료 분야에서도 혁신을 일으킨 이 로봇은 그들이 부상이나 질병이 생기면, 생체 에너지를 주입하여 빠르게 회복시키곤 했다. 이러한 기술 덕분에 금성인들은 병원이 없었다. 나노봇 외에 함께 살아가는 로봇들은 고급스럽고 정교한 기계로, 인간과 거의 구분할 수 없는 지능을 탑재했다. 그들은 금성인들의 일상생활을 돕고, 복잡한 작업을 수행하는 데만 목적을 두어, 공존하며 지냈다.

경제는 자원과 에너지를 효율적으로 사용하여 지속 가능한 발전을 이뤘다. 모든 에너지는 태양광과 지열로 얻었고, 자원 순환 시스템으로 쓰레기와 폐기물이 발생하지 않았다. 자원을 효율적으로 관리하고 재활용하며, 태양 에너지 및 중력 에너지를 활용하여 소비를 최소화하니, 자원은 넘쳐나서 감당이 안 될 정도로 풍부했다. 그들은 풍족한 자원 속에서도 필요한 만큼만 소비했다.

정치는 자율적인 협의 체제로 운영되었다. 중앙 집권적인 지도자가 없으며, 각 지역은 자치적으로 운영되었다. 중요한 결정은 모든 시민이 참여하는 '디지털 의회'를 통해 의결됐고, 소수 의견도 반영되었다. 이러한 시스템 덕분에 사회는 투명하고 공정하게 운영되었으며, 모든 사람이 행복하게 살아갈 수 있었다.

고도의 생태학적 평형을 유지하며 환경 오염이 되지 않는 행성이며, 예술, 음악, 문학, 영화, 연극 등 다양한 예술 형태가 번영했다. 인공 지능이 창작하는 예술 작품도 풍부하게 존재하며, 예술가들은 상상력으로 우주를 더욱 아름답게 만들었다.

에바는 금성인들이 아이를 낳는 방식도 알게 되었다. 여기서는 출산이 순수한 본인의 선택이었고, 그 행위는 '잉태'가 아닌 '자연' 그리고 '부모'가 아닌 '친구'의 단어로 받아들였다. 여성들은 20세가 되어 자신이 원한다면, 특별한 행동으로 친구를 만들었다. 이 행동은 자연과 깊이 연결되어, 천연의 에너지를 받아들여 새로운 생명이 나타났다.

금성의 자연은 언제나 신비로움과 황홀함으로 풍부했다. 그중에서도 새로운 생명이 나타나는 장면은 특히나 경이로웠다. 매년 한 번, 각자의 주기가 돌아온 일부 여성들은 화산 활동이 일어났던 장소로 모여들었다. 이곳은 과거의 화산 활동으로 금빛의 돌과 기암괴석들이 박혀 있었고, 자연의 에너지가 강하게 흐르는 성스러운 장소였다.

에바는 새로운 생명을 원하는 20명의 여자와 손잡고 화산 활동이 일어났던 장소로 향했다. 그곳에 도착하자, 공기는 살아있는 것처럼 흔들리며, 주변과 하나가 되는 느낌을 주었다. 하늘은 황금빛으로 물들었고, 바람은 유연하게 그녀의 피부를 스치며 지나갔다.

여성들은 자연스럽게 원형으로 모여 섰다. 얼굴에는 기대와 설렘으로 충만했고, 서로의 손을 잡으며 마음을 나눴다. 그 순간, 대지에서 느껴지는 에너지가 강하게 흐르기 시작했다. 마치 금성이 숨을 쉬는 듯한 떨림이 몸으로 전해졌고, 그 진동은 점점 강해졌다. 여성들은 신비로운 춤을 추듯이 유려하고 우아하게 몸을 움직였다. 그들은 몸의 중간 아래 구멍에서 금빛의 피가 흘러내리는 순간을 기다렸다. 이 피는 새로운 생명의 시작을 알리는 신호였다.

첫 번째 금성인의 몸에서 피를 흘리기 시작하자, 주위 사람들은 기쁨의 환호성과 함께 손바닥을 부딪쳤다. 피는 대지에 흘러내렸고, 그 즉시 생명이 솟아나기 시작했다. 금빛의 피가 흘러내린 자리에서 작은 생물체들이 나타났다. 미세한 금빛의 점이 모여 용암이 흐르던 줄기를 따라 금빛 물결을 이루었고, 이 출렁이는 금빛 물결이 붉었던 용암의 대지를 감싸자, 바람이 속삭이듯 여성들의 귀에도 속삭였다.

한 금성인이 입을 열었다. "오늘도 우리는 새로운 생명을 맞이할 준비가 됐어요. 이 순간을 함께 나눌 수 있어 기쁩니다." 그녀의 목소리는 부드럽고 차분했으며, 대지의 에너지가 그녀에게서 흘러나오는 듯했다.

또 다른 금성인이 미소를 지으며 말했다. "맞아요. 우리는 자연 일부이자 창조의 도구입니다. 이 금빛 피가 우리를 연결하고, 새로운 친구를 만들어내죠."

그들 중 몇 명은 조금 다른 이유로 이 자리에 있었다. 한 금성인이 호기심 어린 눈빛으로 주변을 둘러보며 말했다. "난 오늘 정말 기대돼. 새로운 친구가 나타나는 과정을 직접 경험해보고 싶어서 왔어. 그저 호기심 때문이야."

또 다른 금성인이 고개를 끄덕이며 동의했다. "나도 그래. 우리는 모두 친구!, 특별한 모성애나 책임감이 아닌 오로지 새로운 친구를 만드는 과정일 뿐이야."

모든 여성이 함께 고개를 끄덕였다. 그들은 깊은 호흡을 들이마시고, 몸의 중간 아래에서 따뜻한 기운이 퍼져나감을 느꼈다. 금빛 피가 본격적으로 흘러나오자, 서로의 손을 더욱 단단히 잡았다.

"피가 우리를 통해 흐르는 이 순간이야말로 진정한 연결의 순간이에요," 한 금성인이 속삭였다. "이 피는 우리의 사랑과 희망, 그리고 자연의 에너지를 담고 있어요."

아까 그 금성인이 다시 입을 열었다. "새로운 생명이 나타나면, 그들은 우리의 모든 것을 배울 거예요. 우리의 삶과 가치, 그리고 조화를."

그들은 모두 눈을 감고, 금빛 피가 화산의 대지에 스며드는 느낌에 감격스러워했다. 그 느낌은 온화했으며, 대지가 그들을 환영하는 듯했다.

"새로운 친구들이 탄생하는 이 순간을 축하합니다." 기쁨에 찬 목소리로 말했다. "그들도 우리의 일원이 될 거예요."

금빛 점들이 수 놓아 흘러내려 간 자리는 장관이었다. 모두 그 광경을 지켜보며 미소 지었다. 그들은 여전히 서로의 손을 잡고 있었고, 신비로운 힘에 경의를 표하며 이 특별한 순간을 함께했다.

또 다른 금성인이 호기심 어린 미소를 지으며 말했다. "난 그들이 어떻게 자라는지, 앞으로 우리와 어떤 이야기를 나눌지 매우 궁금해. 내가 이 자리에 있는 이유야."

이 신비로운 의식은 금성인들 간의 깊은 유대와 자연과의 조화를 보여주는 순간이었다. 이 생명체들은 살아있었지만, 본인이 스스로 움직이거나 대화를 할 수는 없었다. 그저 용암의 흔적과 줄기를 따라 흘러내려 갈 뿐이었다. 그리고 음식이나 집도 필요하지 않았다. 그들은 하염없이 흘러가며, 눈을 뜨고 먼저 태어난 금성인들의 주변을 바라보며 삶을 배웠다. 이 작은 생명체들은 누군가의 교육 없이도 자연스럽게 그들의 방식과 문화를 터득했다. 금성인들은 이 새로운 생명체들에게 다가가 살며시 손을 뻗고, 그들의 작고 끈적이는 물결을 살포시 잡았다.

단순한 생명의 창조를 넘어, 동료를 만들어 서로 이야기하고 떠들려는 본능과 호기심이 종족 번식 욕구보다 강했지만, 그들은 새로운 생명과 함께하는 기쁨을 나누며, 더 풍부한 삶을 원했다. 그들의 피는 금성의 생명력을 상징했다. 그들은 에너지를 받아들여 새로운 생명을 품었다.

하지만, 피를 흘려 생명이 나타나도 아늑한 모성애는 없었다. 모두 친구였고. 나이가 10년이 되는 시점에 사금과 같은 알갱이들이 강한 빛을 뿜어내며 삽시간에 금성인의 최종 형태를 갖췄다. 이 형태를 갖추면 금발의 머리 색을 지닌 지구 성인 여자의 키로 변했다. 얼굴은 우아하고 섬세한 선을 지닌 아름다움이 나타났다. 그들의 입술은 비단같이 부드럽고, 항상 자연스러운 미소를 지녔다. 높은 이마와 선명한 코는 지적인 분위기를 풍기며, 그들의 표정엔 고요함의 균형이 깃들었다. 고대 신화에서 영감을 받은 것처럼 신비로웠다. 그리고 광석인 금과 같이 몸에서 냄새가 나지 않았다. 모든 금성인의 팔에는 금빛 액체로 이루어진 공간 이동 차원문 시계가 채워져 있었다.

금성의 총인구는 약 6억 명으로, 평균 수명은 150년에 달했다. 그들은 긴 수명을 누리며, 생명을 잉태하거나 서로 이야기를 나누며 평화를 그대로 즐겼다. 그들의 삶은 자연과 기술이 완벽한 조화를 이루며, 평화와 안락함 속에서 유토피아를 만들었다.

에바는 화산에서 돌아와 아무 바닥에 캡슐을 던지고 집으로 들어갔다. 영환의 메일이 도착한 것을 보고 그의 홀로그램 대화를 열었다.

"금성에서의 삶은 어때?, 에바. 지구를 중도의 길로 들어설 수 있을 만큼 문명이 발달했니?"

홀로그램 속의 그가 묻자, 에바는 잠시 침묵했다. 금성에서의 시간은 재밌고 평화로웠지만, 그의 질문으로 무거운 현실이 떠올랐다.

"나는 여기서 새로운 생명체를 만들었어. 하지만 몸이 좋지 않아. 이제 여기를 떠날 것 같아." 그는 무슨 중요한 이야기를 하려는 것처럼 보였으나, 홀로그램에서 금방 사라졌다. 당시, 그의 목소리는 초연했다. 그녀는 대화의 마지막이 무척 궁금했다.

에바는 화성으로 돌아가 영환의 추모식에 참석했다.

화성에 도착하자, 그녀는 많은 변화를 알아차렸다. 그의 유전자가 뿌린 후손들이 화성 구석구석에서 살아가고 있었다. 그녀는 올림푸스 화산의 거대한 돔을 향해 몸을 숨기며 천천히 걸어갔다. 그곳이 바로 그의 추모식이 열리는 장소였다.

돔에 몰래 숨어 들어가자마자, 코끝을 강렬하게 자극하는 매운 냄새가 퍼졌다. 그 냄새는 화성의 대기와 어우러져 독특한 향을 만들어냈다. 처음에는 은은하게 스며들다가, 점점 강하게 코를 찔러오는 그 향기는 마치 매운 고추의 알싸한 기운을 연상케 했다. 공기는 묘하게 짭짤하면서도 쓴맛이 섞여 있었다. 매운 냄새가 강할수록 그 쓴맛도 더욱 두드러졌다. 고추냉이의 강렬한 알싸함과 후추의 화끈함이 섞인 것 같았다.

그녀는 숨을 깊이 들이마셨다가 순간적으로 숨을 멈출 수밖에 없었다. 향기는 그녀의 콧속을 타고 들어가 목구멍까지 찌릿하게 만들었다. 코끝이 얼얼해지고, 눈물이 나올 것 같았다. 혀끝에서부터 시작해 코 뒤쪽을 타고 목구멍까지 내려가며, 마치 불길이 지나가는 듯한 따끔거림을 남겼다.

숨이 막히는 지경에도 한동안 코를 막고, 그의 장례식을 기다리다가 동공이 커다래졌다. 너무 많은 화성인이 모여 있었다. 그들은 붉은빛이 감도는 피부와 머리카락, 그리고 눈을 가졌다. 그 모습이 일관되게 이어지자 시뻘건 장관이 은근 무서웠다.

에바는 화성인들에게 자신의 정체가 들킬까 봐 재빨리 돔 밖으로 숨어, 강화 유리 안에 추모식이 마저 진행되는 것을 지켜보았다. 그들은 서로를 존중하며 선구자의 삶과 업적을 기리고 있었다. 그들은 그를 단순한 조상으로만 보지 않고 그의 철학과 이상을 따르며, 그의 꿈을 계속 이어가고 있었다.

에바는 가슴 속 깊이 감동이 몰려왔다. 그녀는 영환의 후손들이 그의 철학을 이어받아 살아가고 있다는 것을 보며, 자신도 그의 일부가 된 것 같은 느낌이 들었다. 그러나 동시에, 그들의 가난한 문명을 보며 마음이 아팠다. 추모식이 끝나자, 에바는 조용히 자리를 떠났다. 그녀는 돔을 나서며 뒤돌아보았다. 붉은 하늘 아래 수많은 화성인이 여전히 영환을 기리며 서 있었다.

"그는 정말 많은 것을 이뤘어," 에바는 속삭였다. "하지만 그의 꿈이 완전히 이루어지지 않은 것을 보니, 마음이 아파."

차원문을 열어 집으로 돌아가는 길에 여러 가지 생각에 잠겼다. 앞으로 지구를 지키는 중도의 행성으로 만들기 위해, 어떤 길을 가야 할지 고민했다.

그녀는 화성의 대지를 마지막으로 한번 돌아보았다.

"나는 우리의 길을 이어갈 거야," , "그의 유산을 지키며, 더 나은 미래를 만들기 위해."

에바는 화성에서 영환을 보내주며, 그의 삶과 철학을 되새겼다. 금성으로 다시 돌아온 그녀는 동그란 모양의 시간차원문을 열었던 유물이 있는 곳으로 발걸음을 옮겼다. 그곳은 금성의 어느 외딴 지역, 고대의 숨결이 남아, 활기가 넘쳤던 장소였다. 시간차원문을 열 수 있는 사람은 그녀뿐이었다. 그리고 이 비밀을 누구에게도 알리지 않았다.

"여기서 다시 영환의 목소리를 들을 수 있을까?" 에바는 혼잣말 하며 유물 앞에 섰다. 손끝으로 유물을 천천히 어루만졌다. 금속성의 차가운 감촉이 손끝을 타고 전해졌다. 그녀는 지구의 과거와 미래를 넘나들기 위해 예전에 이 유물에 손을 대곤 했다. 당시, 고대석과 '라감'의 재회로 지구의 미래를 알 수 있었다. 하지만 이번에는 시계에서 빛이 나오지 않으며, 차원문도 열리지 않았다.

"왜 열리지 않는 거지?" 에바는 마음속 깊이 울리는 불안감을 억누르며 말했다. "아저씨가, 무슨 중요한 말을 하려던 것 같은데…. 그의 마지막 메시지를 들어야 해."

그녀는 차원문이 열리기를 간절히 바라며 눈을 감고, 다시 한번 유물에 손을 대었다.
"어째서 열리지 않는 걸까? 내가 무엇을 놓치고 있는 걸까?" 에바는 스스로 물었다. "그가 하려던 말을 알아내려면 어떻게 해야 하지?"

에바는 한숨을 쉬며 유물 앞에서 물러섰다. 과거와 미래를 연결하는 금성의 유물이 그녀에게 어떤 의미인지, 그리고 그 문이 다시 열린다면, 무엇을 발견할 수 있는지 알 수 없었다.

"언젠가는, 언젠가는 다시 열리겠지…." 에바는 자신에게 다짐하듯 속삭였다. "그때까지 기다릴 수밖에 없어…."

그녀는 차원문이 열릴 날을 기다리며 다시금 시계를 이용하여 도시로 차원 문을 열었다. 금성의 하늘은 여전히 평온했다. 에바는 금성의 삶을 통해, 진정한 중도의 의미를 깨달았다. 그녀는 금성인들의 삶의 방식을 배우며, 진정한 조화와 균형을 깨달았다. 그리고 금성의 기술로 새로운 희망을 찾았다. 그녀는 금성에서의 경험이, 지구에도 새로운 변화를 가져올 수 있다며 희망을 품었다.

제법 시간이 흘러, 붉은 지구의 미래를 보았던 그 날이 서서히 다가왔다. 에바는 금성의 모든 사람에게 텔레파시로 지구로 가는 것이 어떠냐고 물었다. "여러분, 지금까지 우리가 살아온 금성은 평화롭고 아름다운 곳이에요." 에바는 텔레파시로 말했다. "하지만 지구에는 우리가 모르는 신비한 것들이 많이 있어요. 우리 금성보다 더욱 발전을 이룰 수 있는 곳이죠."

"어떤 신비한 것들이 있는 건가요, 에바?" 한 금성인이 텔레파시로 물었다. "우리는 이곳에서 충분히 행복한데 왜 떠나야 하죠?"

"지구에는 XY 염색체가 있어요.","우리가 지금까지 알지 못했던 것들이죠. 이 새로운 행성이 완벽한 중도의 행성으로 진화할 수 있어요. 그리고 수많은 것들이 우리를 기다리고 있어요."

금성인들은 시계를 이용해, 에바 주위로 모여 들였다. 그리고 서로의 얼굴을 바라보며 대화를 나누기 시작했다.

"XY 염색체라니, 정말 신기하군요!" 다른 금성인이 말했다. "그리고 새로운 환경에서의 삶이라니, 정말 기대돼요. 가보고 싶어요!"

"맞아요," 또 다른 금성인이 동의했다. "우리는 항상 탐구하는 것을 좋아하잖아요. 에바가 말한 그곳으로 가서 새로운 경험을 해보는 것도 나쁘지 않을 것 같아요."

에바는 금성인들의 반응에 미소를 지었다. 그녀는 그들의 호기심을 자극하는 데 성공했다. "그럼 모두 함께 지구로 가는 거예요!" 흥분한 에바는 말했다. "우리의 호기심과 지혜로 지구에서도 새로운 시작을 만들어 봅시다. 우리가 함께라면 어떤 도전도 이겨낼 수 있을 거예요."

금성인들은 에바의 말을 듣고 고개를 끄덕였다. "좋아요, 에바," 한 금성인이 말했다. "당신과 같이 가요."

모두 동의하자, 그녀는 목에 지니던 펜던트를 빼내고, 땅에 휙 던졌다. 그 작은 물체는 공중에서 한 바퀴 돌며 은은한 빛을 발하더니, 곧 바닥에 떨어졌다. 금성인들은 각자의 손목에 착용한 시계로 시선을 돌렸다. 공간을 뒤덮는 환희한 빛을 내뿜자, 한 명씩 차원문을 열고 안으로 들어가 사라졌다.

한편, 그 날이 오자 화성에서는 최고지도자가 시계를 조심스럽게 품에 안고 두드렸다. 지구로 향하는 차원문이 열렸을 때, 화성인들의 눈에는 희망의 빛이 서렸다. 그리고 화성의 풍경은 소멸하고, 지구의 풍경이 들어왔다. 은하계는 그들의 움직임에 자연스레 반응했다. 별들이 은은히 흔들리며 그들의 길을 비추고, 은하수는 그들의 모험을 환영하듯 물결을 치며 춤추었다.

2

변화된 사회

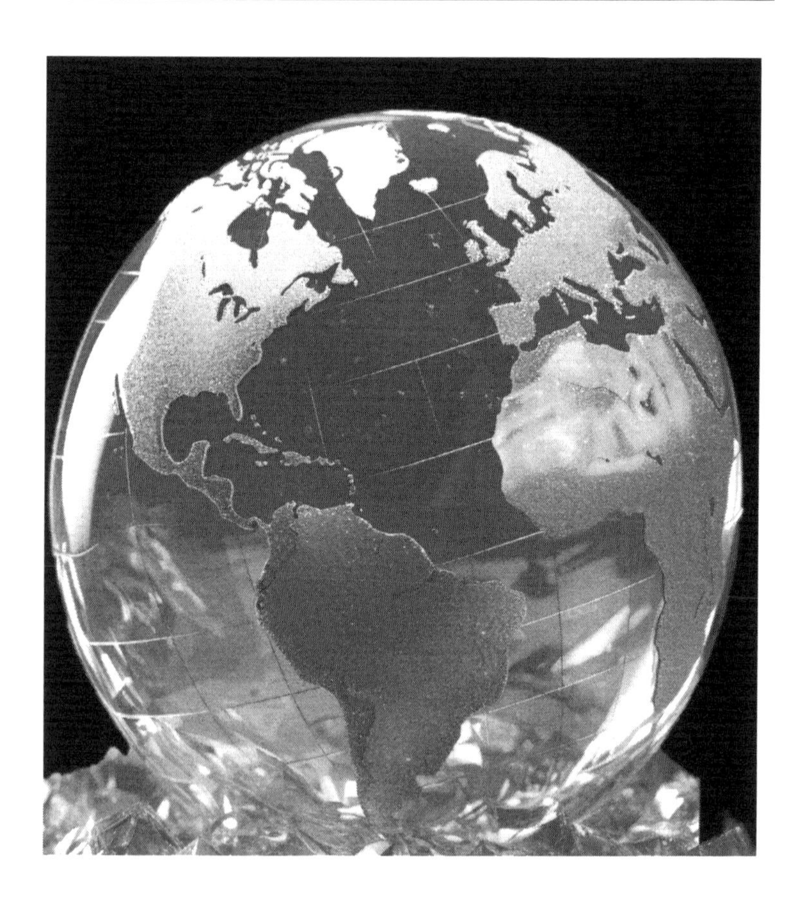

금성의 하늘은 항상 금빛으로 물들었고, 빛나는 도시들은 먼 거리에서도 보일 정도로 화려했다. 그런 빛나는 도시의 하나인 '알루라'에서 살다 온 여자인 리아는 카이에게 물었다.

"카이, 당신의 행성에서는 어떻게 살아왔나요? 에바가 말하길, 화성은 맵고 사나운 환경이라고 들었어요."

카이는 미소를 지으며 고개를 끄덕였다. "맞아요, 리아. 화성은 금성과는 달라요. 날씨도 험하고, 식량 자원도 부족해요. 하지만 그것 덕분에 우리는 더 강하게 살아남을 수 있었죠.

"화성에서 온 남자들이 지구를 조화롭게 만든다고 했을 때 반신반의했어요. 하지만 지금은 그렇게 생각하지 않아요. 우리의 문물과 화성인의 끈기가 만나니 놀라운 일들이 일어나고 있어요." 카이는 웃으며 대답했다.

"맞습니다. 우리는 서로 다른 강점을 합쳐서 더 나은 세상을 만들고 있죠. 금성의 기술력과 문화는 정말 놀라워요. 여러분의 기술과 과학은 저희 화성인들이 상상할 수 없었던 것들이었어요. 하지만 우리 화성인들의 끈질긴 성격도 부정할 수 없죠."

리아는 카이의 말을 따라 천천히 걸음을 옮기며 도심의 빛나는 구조물들을 바라보았다. "예전에는 우리 금성인들끼리만 행복하면, 충분할 줄 알았어요. 그런데 이제는, 우리도 많은 것을 배우고 느끼게 되었어요.

리아는 그들의 혁신적인 능력들이 어떻게 지구를 변화시켰는지 떠올렸다. "당신들이 지구의 정화와 재건을 위해 사용한 방법들은 정말 놀라웠어요. 커지고 작아지는 능력으로 지구의 다양한 자연 자원을 효율적으로 활용하는 방법을 찾아냈어요. 당신들의 피스톤 운동 능력은 에너지 생산과 분배를 극대화하는 데 사용되었죠. 작은 크기로 변할 때는 가장 미세한 부분까지 접근할 수 있었고, 다시 커지면서 에너지를 방출하여 지구의 구석구석을 정화하고 재생시키는 역할을 했어요."

카이가 대답했다. "그 기술은 지구의 에너지를 안정화하고, 대기와 물을 정화하는 데 큰 도움을 줬지요. 자연 에너지를 흡수하고, 이를 정화된 형태로 방출하는 기능을 했습니다. 우리는 상상할 수 없었던 방식으로 지구를 바꿨어요."

리아는 이야기가 재밌었다. "그렇군요, 카이. XY 염색체인 남자들은 독창적인 사고방식과 과학적 접근으로 지구를 다시 번성토록 했군요. 피스톤 운동 능력은 단순한 정화와 재생을 넘어, 새로운 형태의 문명을 창조하는 데 이바지했어요."

카이는 미소를 지으며 말했다. "맞아요, 리아. 화성인 능력은 지구를 붉은 대지에서 투명하고 빛나는 행성으로 되돌리는 데 중요한 역할을 했습니다."

리아는 카이의 말을 들으며, 지구의 밝은 미래를 상상했다. "이제 우리는 당신들의 도움으로 새로운 길을 걷고 있어요. XY 염색체가 지닌 가능성은 우리가 꿈꾸는 세상을 현실로 만들 수 있는 완벽한 중도의 길을 열었어요. 함께 협력하고 발전해 나가면서, 우리는 더 나은 미래를 만들어갈 거예요."

화성인 남자들의 피스톤 운동 능력은 지구의 재건 과정에서 빛을 발했다. 이 운동 능력은 자연을 정화하는 것뿐만 아니라, 에너지 생산과 분배를 극대화하는 데도 사용되었다. 화성인 남자들은 에너지를 저장하고 방출하는 능력이 있었으며, 이를 통해 지구의 다양한 자연 자원을 효율적으로 활용할 수 있었다.

리아는 눈을 반짝이며 카이의 말을 들었다. 이 모든 융합이 우리의 도시 '크리스털라'를 탄생시켰죠. 아직도 믿기 어려워요."

그들은 '크리스털라'라 불리는 빛나는 도시의 입구에 도착했다. 도시의 건축물들은 다이아몬드처럼 빛났으며, 그 자체로는 하나의 예술 작품 같았다. 카이는 도시에 들어서며 감탄했다. "이곳은 정말 경이로워요. 크리스털라가 이렇게 발전할 수 있었던 건 우리가 서로의 강점을 이해하고, 하나로 뭉쳤기 때문이죠. 금성의 아름다움과 화성의 강인함이 어우러져 만들어낸 이곳은 우리의 합작품입니다."

리아는 미소를 지으며 고개를 끄덕였다. "맞아요. 이곳이 그 증거죠. 금성과 화성, 그리고 지구까지, 모두가 함께 만들어낸 이 아름다운 세상. 앞으로도 함께하면 더욱 찬란한 미래가 기다리고 있을 거예요." 그들은 그렇게 서로의 중요성을 깨닫고, 앞으로의 밝은 미래를 상상하며 크리스털라의 빛나는 거리를 걸어갔다. 이 순간은 단순한 공존이 아닌, 공동의 진화와 성장의 증명이었다.

그들은 하늘을 바라보며 무슨 일이 일어나는지 알기 위해 눈을 찌푸렸다. 신인류 중에서 학문에 조예가 깊었던 금성인 엘리나는 바다에 서서 그 모습을 지켜봤다. 그녀의 눈앞에는 다이아몬드처럼 완벽하게 맞물리며 하나가 되어가는 6개의 대륙이 펼쳐졌다. 이 놀라운 장관을 보며 신인류들은 이 대륙들이 그렇게 완벽하게 맞물리려는 이유가 무엇인지 궁금해했다.

하늘은 반짝이며 빛나는 태양의 광채를 대지로 쏟아부었고, 대지는 그 에너지를 흡수한 듯 더욱 빛났다. 그리고 대륙 사이로 수많은 크리스털 같은 다이아몬드들이 생겨났다. 크리스털로 된 지구는 마치 다이아몬드처럼 찬란하게 빛났다. 태양의 빛이 이 크리스털 행성을 비추면, 그 위에는 수많은 빛줄기가 반사되어 환상적인 빛의 환희가 펼쳐졌다. 다이아몬드의 특성은 이 크리스털 행성에 완벽하게 부합했다. 각도에 따라 다양한 색조의 빛이 반사되어 주변

공간을 환하게 빛내었고, 그 안에는 마치 세계의 모든 비밀이 담겨 있는 듯한 신비로움이 느껴졌다. 이 크리스털로 된 지구는 단순히 행성의 표면이 아니라, 보석 같은 아름다움을 자랑했다.

엘리나는 이 경이로운 광경에 숨죽였다. 다른 신인류들도 이 모습을 보며 경의와 감동을 감추지 못했다. "대륙들이 하나가 되는 것은, 예측할 수 없는 자연의 힘과 의지가 담겨 있는 것인가?" 엘리나는 중얼거렸다. 신인류들은 굳이 대륙이 뭉치지 않더라도 쉽게 이동할 수 있는 차원문 시계를 소지하고 있었다.

이런 도구를 가진 그들도 대륙들이 왜 갑자기 이리 모이게 되었는지는 알 수가 없었다. "이건 뭔가 더 큰 의미가 있을 거야," 엘리나의 친구 제이콥이 말했다. "우린 이 신비를 풀어내야 해." 그들은 각자의 시계를 조작하고 대륙들을 더욱 자세히 조사하기 위해 하나 둘 떠나기 시작했다. 대륙들이 맞물릴 때마다, 그 형성된 다이아몬드들은 더 밝게 빛나고 있었다. 이 빛은 이 신비한 현상을 밝히기 위한 단서일지도 모른다는 생각에 모두 흥분했다.

마침내, 오대양 속에 자리하던 6개의 대륙이 천천히, 그리고 웅장하게 서로에게 다가가 하나로 합쳤다.

한편, 에바는 금성의 유물을 지구로 옮기려 노력했다. 이 유물은 그 자체로 시간의 교차점을 형성하는 차원문을 열 수 있기 때문이었다. 에바는 문득 신인류의 미래를 봤던 순간을 떠올렸다. 미래의 모습과 달리 그들이 번영하며 살아가는 모습은 그녀에게 큰 위안을 주었다. 신인류들은 평화롭고 조화롭게 공존하며, 자연과 기술을 완벽하게 융합했다. 에바는 중도의 지구를 이룩한 모습에 마음을 놓았다. "내가 본 미래가 바뀌었어!." 그녀는 혼잣말로 감탄하며 중얼거렸다. 그러나 마음속에 일말의 불안은 남아 있었다. 시간차원문을 통해 만났던 과거와 미래의 '라감'인 본인이 생각났다. 그녀와의 만남은 과거의 자신, 현재의 자신, 그리고 미래의 자신이 혼재하여, 한정된 영역을 넘나드는 방랑자처럼 보였다.

"라감, 우리가 이렇게 달라져도 되는 걸까? 과거와 미래의 내가 이렇게나 다르면 문제가 되지 않을까?" 에바는 근심에 잠겼다. 하지만 곧바로 생각을 고쳤다. "다이아몬드는 순수성과 완벽한 투명성을 보여주지. 크리스털은 영원성을 상징해. 지구도 영원한 평화를 지킬 수 있겠지." 에바는 희망에 찬 생각을 했다. 그리고 스스로 말을 이어갔다.

"금은 안정성과 미래에 대한 보장을 선물하지. 그래서 금성에서의 50% 중도의 삶도 나쁘지 않았어. 하지만 지구가 크리스털로 변한 것은 아마도 XY 염색체인 화성인 남자들과 함께 완벽한 중도를 완성했기 때문이야. 크리스털은 금성에서도 보지 못했어. 이것은 금보다 귀하고 소중한 의미야."

그녀는 언제나 지구가 평화로울 것이라고 확신했다. 그것이 바로 크리스털의 진정한 힘이었고, 신인류의 궁극적인 목표였다. 그녀는 이기심으로 물든 지구인의 희생이 미래를 투명하게 비추는 크리스털처럼 되기를 소망하면서. 천천히 자리에서 일어났다. 그리고 공간과 시간의 흐름 사이에서 자신의 역할은 드디어 끝났다고 생각했다.

그러나, 그녀는 앞으로 크리스털의 빛을 따라가며 점점 더 많은 비밀을 풀어나가야 했다. 지구인의 희생과 그녀의 노력으로 미래를 위해 열었던 길은 이제 시작에 불과했다.

2-1 평화로운 공존

지구의 도시들은 빛과 투명함으로 풍성했다. 찬란한 유리 탑과 푸른 나무들이 한데 어우러져, 그 어떤 곳에서도 볼 수 없는 풍경을 자아냈다. 모든 사람은 의식주를 걱정하지 않았다. 금성의 기술력으로 해결된 에너지 시스템과 넘치는 자원 덕분에 누구나 풍요롭고 평화로운 삶을 살 수 있었다.

심지어, 이곳에는 소유의 개념이 없었다. 사람들은 자신이 원하는 모든 것을 자유롭게 이용하고, 다시 그것을 나누어주었다. 욕심도, 질투도, 시기도 없는 사회였다. 더 이상의 분란과 다툼 없이, 완전한 자유 속에서 인류가 거듭나고 있었다.

화성인은 선구자한테서 들은 이야기가 떠올랐다. 오래전, 인간은 선과 악이라는 개념 속에서 살아갔다. 법과 도덕이 있었고, 사람들은 옳고 그름을 따르는 삶을 살았다.

신인류가 도착하며, 이 개념들은 무의미해졌고, 결국에는 완전히 사라졌다. 도시 중앙에는 크리스털 타워가 서 있었고, 타워 위에는 거대한 수정구가 빛나고 있었다. 요한은 타워 앞에 서서, 한참 동안 그것을 바라보았다. "우리에게 필요한 것은 무엇일까? 진정한 자유란 무엇일까?" 요한을 보고, 한 여성이 그의 옆으로 다가왔다. 그녀의 이름은 클라라였다. 그녀는 요한과 마찬가지로 이 새로운 세상에서 살아가는 이였다. "무슨 생각에 잠겨 있는 거야?" 클라라가 물었다. "우리가 이 새로운 세상에서 계속해서 완벽한 행복을 찾을 수 있을까?" "현재는 모든 것이 균형 잡힌 상태로 존재해. 그렇지 않아?"
요한은 클라라의 말을 듣고 미소를 지었다. 선과 악의 개념은 사라졌지만, 그들이 만들어갈 미래는 여전히 그들의 손에 달려 있었다.

평화로운 태양이 부드럽게 떠오르는 아침, 지구의 공기는 맑고 하늘은 여느 때보다 청명했다. 새들은 즐겁게 노래했고, 수풀 깊은 곳에서는 작은 동물들이 활기차게 뛰놀았다. 그러나 이 평화로운 풍경 속에 새로운 생명체들이 함께 어우러졌다. 그들은 지구도, 인간도 아니었다. 자연의 변화로 고요한 숲은 이제 다양한 빛깔과 형태의 꽃들로 무성했고, 잔디는 거대한 카펫처럼 부드럽고 푹신했다. 생태계는 더욱 다채로워졌으며, 이는 화성과 금성에서 온 신인류가 정착한 후 나타난 변화였다.

화성인들은 생리적인 변화로 이은 진화가 눈에 띄었다. 성숙기의 남성들은 불알이 자연 낙하하지 않아 생물학적으로 다소 어수선해 보였지만, 그로 인해 생명력과 건강은 이전보다 더 강건해졌다. 생명주기도 현저히 연장되었다. 화성에서 짧은 생을 지낸 이들은 4계절의 지구에서 여러 번의 가을을 보낼 수 있음을 깨달았다.

크리스털 지구의 4계절은 더욱 다양하게 변화했다. 봄에는 다이아몬드처럼 반짝이는 꽃들이 피어나며, 자연은 새로운 생명으로 눈부셨다. 여름에는 차가운 빛을 반사하여 상쾌한 느낌을 주는 크리스털 잎사귀들이 바람에 흔들렸다. 가을에는 황금빛으로 물든 나무와 식물들이 그 유쾌함을 더하고, 겨울에는 순수한 흰색의 눈과 얼음으로 덮인 풍경이 마치 보석처럼 빛났다. 이러한 계절의 변화가 크리스털 지구의 아름다움을 한층 더 돋보였다.

식물들은 점점 자발적으로 자연을 유지하고 조절하는 능력을 갖추었다. 지각 변화나 자원 이동에 민감하게 반응하며, 자연의 균형을 지키기 위해 스스로 진화했다. 예를 들어, 어떤 식물들은 특정 환경 조건에서 다른 식물이 자라지 않도록 경쟁을 조절하며, 생태계의 다양성을 유지했다.

초식동물들도 크리스털화된 식물들과 마찬가지로 협력적인 방식으로 생태계를 가꿔 나갔다. 그들은 특정 식물을 섭취하여 생태계의 균형을 유지하는 역할을 하며, 식물을 지나치게 먹지 않고 재생할 수 있는 공간을 남겨두는 방식을 택했다. 육식 동물들도 다른 동물을 잡아먹지 않았다. 그들은 신인류가 창조한 에너지 공명 기술로 생명을 이어갔다.

북극과 남극은 크리스털 지구에서 특별한 변화를 겪었다. 여전히 얼음과 눈으로 덮인 이 지형은 다이아몬드와 같은 투명한 표면으로 변모하여 더욱 아름답게 빛났다. 북극과 남극의 얼음층은 한없이 투명해져 푸른 빛을 띠며, 태양 빛을 받아 반짝이는 다이아몬드 같은 모습을 보였다. 이러한 변화는 극지방의 풍경을 더욱 환상적으로 만들었다.

지구는 금성에서 온 고도의 과학 기술이 자연뿐만 아니라 행성을 근본적으로 변화시켰다. 모든 생명체는 생체 크리스털화 과정을 거쳐, 빛나고 투명한 형태로 바뀌었다. 모든 세포를 크리스털 구조로 변환하여 노화나 질병을 완전히 방지할 뿐만 아니라, 기존의 음식물 섭취 대신 태양과 주변 에너지를 흡수함으로써 생명을 연장했다. 이 모든 변화의 중심에는 에너지 공명 기술이 있었다.

크리스털 지구에서는 에너지가 모든 생명체와 환경에 걸쳐 자유롭게 흐른다. 에너지 공명 기술은 크리스털 구조를 통해 에너지를 효율적으로 전달하고 저장하며, 기존의 전기나 화석 연료와 같은 에너지원을 대체한다. 이로 인해 에너지 부족 문제는 완전히 해결되었고, 지구는 항상 풍부한 에너지를 공급받는다. 또한, 의식 공유 네트워크가 모든 생명체를 하나로 연결한다.

육식동물과 마찬가지로 신인류는 에너지를 공유하는 방식으로 살아갔다. 각 개인은 자신이 흡수한 에너지를 주변의 다른 생명체와 나누며, 서로의 에너지 수준을 유지한다. 이는 모든 생명체가 균형 잡힌 상태를 유지하도록 하며, 자연스럽게 협력도록 만들었다. 누군가가 에너지가 부족할 때, 다른 이들이 자신의 에너지를 나누어 주며 평형을 맞춘다. 환경은 항상 깨끗했다. 자정 기술은 대기, 수질, 토양의 오염 물질을 자동으로 감지하고 제거했다. 자연재해나 기후 변화와 같은 문제도 이 기술로 인해 완전히 해결됐다.

유전자 크리스털 편집 기술은 모든 생명체의 유전자를 자유롭게 조작할 수 있게 하였다. 이 기술은 원하는 특성을 추가하거나 불필요한 특성을 제거하여, 신인류는 신체적, 정신적으로 완벽에 가까운 최상의 컨디션으로 살아갔다. 또 크리스털화된 생명체들은 의식 공유 네트워크에 접속하고, 서로의 모든 지식과 경험을 실시간으로 공유했다. 개인 간의 의사소통은 텔레파시처럼 즉각적으로 실현되며, 지식의 전파도 매우 빨랐다. 이러한 환경 속에서 신인류는 물질적 욕구에서 해방되어, 창조와 예술 활동에 한층 몰두할 수 있다. 모든 생명체가 기본적인 생존 욕구를 초월했기 때문에, 각 개인은 자신의 창의성을 발휘하고 창조하는 데 집중했다.

크리스털 지구의 외곽에 있는 웅장한 도서관은 오늘 특별한 행사가 열린다. 이 행사는 매슬로의 가장 높은 욕구인 자아실현 욕구를 충족하기 위해 마련된 자리로, 작가들은 다양한 예술 작품을 선보였다.

도서관의 1층에는 미술 작품들이 전시되어 있다. 벽에는 거대한 홀로그램 캔버스가 설치되어, 입체적인 그림들이 펼쳐진다. 그림들은 빛의 각도에 따라 색상이 변화하며, 보는 이들에게 감탄을 선물했다. 조각 작품들도 함께 전시되어, 아름다운 빛깔을 자아낸다.

한 미술가는 거대한 크리스털 벽화를 설명하며, 작품 속에 담긴 철학적 메시지를 전달했다. "이 작품은 우주의 질서와 혼돈을 표현한 것입니다. 크리스털의 투명함은 진리를 상징하고, 색상의 혼합은 우리 삶의 복잡함을 나타냅니다."

2층은 시와 문학의 공간이다. 이곳저곳에 놓인 투명한 의자와 홀로그램 책장 속 다양한 시집과 소설이 채워있다. 작가들은 자신의 시를 낭송하며, 그 배경에는 홀로그램으로 구현된 풍경들이 어우러진다. 황홀한 일몰 장면과 함께 한 시인이 낭송 중이었다.

3층은 다양한 악기가 놓여 있고, 홀로그램 오케스트라가 실시간으로 연주를 도와준다. 참가자들은 자신이 작곡한 곡을 연주하거나 노래를 부르며, 관객들은 그 음악에 빠져든다. 신시사이저와 홀로그램 악기의 조화는 미래적인 음악을 만들어내고, 그 소리는 크리스털 돔을 울린다.

예술 공유 행사 작가들이 도서관의 돔 천장 아래, 모든 예술 작품과 하나로 어우러졌다. 빛과 소리, 감정과 사상이 교차하는 이 공간에서, 자아실현의 기쁨도 만끽했다. 이 행사는 크리스털 지구 주민들에게 예술의 힘과 아름다움을 일깨워줬다. 그리고 그들은 법이나 사회 구조에 의존하지 않고, 의식 공유 네트워크와 에너지 공유로 자연을 파괴하지 않고 살아갔다.

크리스텔 (신인류 A): "모리, 오늘 에너지가 조금 부족해 보이네. 혹시 도움이 필요해?"

모리 (신인류 B): "고마워, 크리스텔. 아침에 에너지 공명을 맞추다가 약간 과도하게 사용한 것 같아. 네 도움을 받으면 좋겠어."

크리스텔은 모리에게 손을 내밀었고, 둘의 크리스털 구조가 순간적으로 빛을 발했다. 에너지가 크리스텔에서 모리에게로 매끄럽게 흘러 들어갔다.

모리: "이제 훨씬 나아졌어. 항상 이렇게 도와줘서 고마워."

크리스텔: "우리 모두 서로를 돕는 것이 자연스러운 일이야. 네가

필요할 때 나도 도와줄 거라는 걸 알고 있잖아."

모리: "맞아. 그런데, 이번에 새로운 크리스털 조각을 만들고 있어. 한 번 봐줄래?"

크리스텔: "물론이지. 네가 만드는 예술 작품은 항상 기대돼. 어떻게 생겼는지 설명해줄래?"

모리는 자기 생각을 의식 공유 네트워크를 통해 크리스텔에게 전달했다. 모리가 구상한 크리스털 조각의 이미지와 감정이 실시간으로 크리스텔에게 전달되었다.

크리스텔: "정말 아름답네. 빛의 흐름과 에너지의 균형이 완벽해 보여. 이 조각이 완성되면 우리 공동체에 큰 기쁨을 줄 거야."

모리: "그렇게 생각해줘서 기뻐. 모든 사람이 이 조각에서 평화를 느끼길 바라."

그때, 라일라 (신인류 C)가 다가왔다. "둘 다 여기 있었군요. 오늘 저녁 에너지 공명 조율 모임에 참석할 거지?"

크리스텔: "물론이지. 모임에서 새로운 에너지 패턴을 시도해보려고 해. 다들 함께하면 더 효과적일 거야."

모리: "맞아. 에너지 조율은 모두의 협력이 필요해. 라일라, 이번에는 어떤 패턴을 제안할 거야?"

라일라: "저번에 우리가 했던 조율보다 더 복잡한 패턴을 생각해봤어. 네트워크를 통해 미리 공유할게." 라일라는 의식 공유 네트워크를 통해 자신의 아이디어를 전달했다. 세 사람은 동시에 정보를 받아들였고, 각각의 생각이 하나의 흐름처럼 자연스럽게 연결되었다.

모리: "이 패턴은 훨씬 더 정교하네. 에너지의 흐름이 더욱 원활해질 것 같아."

크리스텔: "우리가 모두 함께한다면, 이 패턴이 더 큰 변화를 가져올 거야."

라일라: "그러면 저녁에 모여서 이 새로운 패턴을 시도해보자. 모두의 협력이 필요해."

세 사람은 서로 미소를 지으며 손을 맞잡았다. 그리고 연구가 끝나고, 음악이 열리는 축제 현장을 가기로 했다.

거대한 음악 홀, '네오 하모니아'에서는 매주 밤마다 다양한 음악 공연이 열렸다. 도시 곳곳에서 들려오는 음악은 그 자체로 예술이

자 기술의 교집합이었다. 세 사람은 연구가 끝나자 이곳으로 순간 이동했다. 막 도착하자, 무대에 오른 음악가는 인간이 아닌 AI와 협업하여 만들어진 하이브리드 뮤지션이었다. 그들의 음악은 생명체가 가진 감성과 기계가 가진 정밀함을 완벽하게 결합했다.

첫 곡은 '에테르의 속삭임'. 이 곡은 공기 중의 분자 진동을 직접 변조하여 소리를 내는 독특한 방식으로 연주됐다. 관객들은 눈을 감고 음악에 몸을 맡기며, 천천히 몸을 흔들었다. 공기의 흐름을 따라 춤을 추는 듯했다. 다음 곡은 '네오 심포니아'. 이 곡은 각종 센서를 이용하여, 인간의 감정과 뇌파를 분석하여 실시간으로 변하는 음악이었다. 한 관객이 기쁨을 느끼면 음악은 밝고 경쾌하게 변하고, 슬픔을 느끼면 서정적이고 깊이 있는 멜로디로 변했다. 공연장은 각자의 감정이 음악으로 표현되었고, 사람들은 눈을 감고 자신만의 음악에 몰입했다.

"Through the ages, we rise and fall, Echoes of the past, we hear the call. In the heart of time, we stand tall, Bound by love, we conquer all."

'크리스털의 꿈'은 네온 빛으로 차고 찬 도시를 배경으로, 레이저 하프와 홀로그램 오케스트라가 협연하는 곡이었다. 레이저 하프는 공중에 떠 있는 레이저 줄을 손으로 퉁겨서 소리를 내는 악기로, 시각적으로도 아름다움을 더했다. 홀로그램 오케스트라는 고전적인 오케스트라의 형태를 재해석한 것으로, 빛의 입자가 모여서 악기를 연주하는 모습이 신비로웠다.

"In the crystal dream, we find our way, Guided by the light, through night and day. Every shimmer tells a story, a silent play, In this world of wonder, we choose to stay."

마지막 곡은 '시간의 파동'. 이 곡은 시간의 흐름을 음악으로 표현했다. 음악이 시작되면 관객들은 시간이 더디게 흐르거나 빠르게 흐르는 것 같은 착각이 일어났다. 이는 고도의 음향 기술로, 음파가 사람의 뇌파와 교감하여 제작했다. 음악이 절정을 향할 때, 관객들은 시간이 멈춘 듯했다.

"Flowing through the waves of time, We dance to an eternal rhyme. Moments freeze, then race, sublime, In this symphony, we climb."

네오 하모니아의 공연이 끝나자 관객들은 만족스러운 표정으로 자리를 떠났다. 그들은 각자 자신만의 음악을 마음에 품고, 크리스털 지구의 밤거리를 걸었다. 도시의 길거리에서도 작은 음악 모임들이 열렸다. 한 그룹은 레이저 기타를 튕기며 경쾌한 리듬을 만들었고, 또 다른 그룹은 공중에 떠 있는 홀로그램 피아노를 연주했다. 지나가는 사람들은 발걸음을 멈추고 그들의 음악을 감상하며, 자연스럽게 몸을 흔들었다. 한쪽에서는 신인류의 버스킹 밴드가 '네오 하모니아' 공연의 감동을 이어받아 새로운 곡을 연주했다. 그들은 다양한 장르의 음악을 혼합하여, 전통적인 소리와 기술을 결합한 새로운 스타일의 음악을 창조했다. 관객들은 그들의 연주에 매료되어 손뼉을 치며 응원했다.

한편, 에바는 공원을 걸으며, 이곳의 아름다움과 평화로움에 몸을 맡겼다. 그리고 공원에서 시계로 차원문을 열어, 크리스털 지구의 중심지에 서서 주변을 둘러보았다. 빛나는 크리스털로 만들어진 건물들은 마치 거대한 예술 작품처럼 반짝였다. 그 속에서 사람들은 서로의 선택을 존중하며 조화로운 삶을 살아갔다. 에바는 과거의 지구에서의 삶을 떠올리며, 이곳이 얼마나 다른지 새삼 깨달았다.

그 자체로 하나의 예술 작품이었다. 하늘을 찌르는 높이의 크리스털 타워들은 햇빛을 받아 다양한 색으로 반짝였다. 빛의 각도에 따라 시시각각 변하는 이 도시의 풍경은 그야말로 경이로웠다. 거리에는 크리스털로 장식된 공원과 정원들이 많았으며, 그 속에서 사람들은 여유롭게 산책을 즐겼다. 건물들은 투명한 크리스털로 만들어져, 내부의 모든 것이 외부에서 투명하게 보였다. 이는 개인의 삶을 더욱 투명하게 만드는 동시에, 사람들 간의 신뢰를 강화하는 역할을 했다. 지구 중심에는 거대한 광장이 있었다. 이곳에서는 매일같이 다양한 행사가 열렸고, 사람들은 자연스럽게 모여 교류하며 삶을 나누었다. 에바는 광장에서 열리는 음악 축제에 참여하며, 그곳에서 만난 다양한 사람들과 이야기를 나누었다.

"여기서는 법이 필요 없어," 에바는 조용히 혼잣말했다. "사람들이 제 선택에 책임을 지고, 그 선택이 공동체에 미치는 영향을 깊이 이해하기 때문이지."

"지구는 드디어 소유의 개념을 버렸어," 에바는 새로운 친구인 라일라에게 말했다.

라일라는 고개를 끄덕이며 미소 지었다. "정말로 아름다운 곳이야. 여기서는 모두가 평등하고, 누구나 자유롭게 꿈을 실현할 수 있어."

화성인들과 금성인들은 크리스털 지구를 기리며, 문화의 상징이자 지구 생명체의 조화를 기념하는 고대 석이 높이 세웠다. 그곳은 장엄한 산과 끝없는 바다는 고대의 전설을 품었다. 밤이 되면 별들이 하늘을 수놓았고, 행성들 사이의 거리는 그 어느 때보다 가깝게 느껴졌다. 부드러운 백사장과 파도가 조용히 해안가를 휘돌며 물결치는 파도 속에서 새로운 형태와 생명이 태어나는 듯했다. 유난히 긴 그림자를 드리운 석탑들 사이로, 새벽의 빛이 반사되면서 일렁이는 장면은 그야말로 평화로움 그 자체였다.

고대의 돌들에 새겨진 신비로운 문자는 반짝였다. 석의 형태는 하늘에서 내려온 듯, 거대하고 유연한 곡선이며, 금성인의 고대 문명

흔적을 빼닮았다. 석은 각각 다른 모양의 돌들이 정교하게 맞춰져 있었다. 놓여 있는 위치에 따라 바람이 불면 음악 소리처럼 들리는 특이한 구조였다. 그 주위는 신비로운 기운이 감돌고 있었다.

이 석은 금성인과 화성인들이 함께 설계한 것으로, 그들의 새로운 시작을 기원하는 기념비적 존재였다. 신인류들은 그곳을 성지처럼 찾아와 사진을 찍었다.

크리스털 지구는 금성과 같은 중도의 길을 걸었다. 과거에 이 땅도 푸른 지구, 그 옛날의 혼란과 대립, 분열의 시기를 겪었다. 인류는 이 땅에서 끊임없이 전쟁을 벌이며 붉은 피로 대지를 물들였다. 서로를 향한 증오와 탐욕이 군데군데 황폐해진 땅을 만들었다.

그러던 어느 날, 신인류라는 한 줄기 빛이 하늘을 갈랐다.

그 빛은 검붉던 지구에 강력한 에너지를 내뿜으며 일순간에 화염을 진화했다. 잿빛 하늘은 사라지고, 자연은 다시 푸르게 살아났다. 그리고 그 푸름을 유지하던 지구는 재빨리 크리스털처럼 투명하게 변했다. 나무의 잎사귀는 마치 빛을 투과하는 유리 조각처럼 반짝였고, 강과 바다는 맑은 수정처럼 깔끔했다. 도시의 건물들과 길도 그 투명함 속에서 변화를 맞이했다.

모두 하나가 되어 물아일체 된 모습으로, 새로운 평화를 맞이했다. 지구는 그 빛나는 투명함 속에서 다시는 전쟁도 갈등도 없으며, 모든 생명체는 하나로 연결된 조화로운 세계 속에서 살아갈 것이다. 깊은 밤에 깨어난 에바는 모래 언덕 위로 은은하게 빛나는 지구의 투명한 기운 스몄다. 이곳은 우리가 새로운 도약을 위해 선택한 행성 크리스털 지구.

“크리스털 지구는 우리에게 그 가능성을 보여줬어.”

3

호기심

어느 추운 겨울날, 라감의 아들인 재욱은 어렴풋이 투명한 하늘을 올려다보며 회상에 잠겼다. 그의 삶은 어렸을 때부터 고단했다. 심지어 그는 아버지가 누구인지도 몰랐다. 어머니의 온화한 손길도 오래 가지 못했다. 어머니가 세상을 떠난 후, 그는 조부모의 품에서 자랐다. 할머니는 항상 그를 끌어안고 말했다. "재욱아, 넌 강한 아이야. 어떠한 어려움도 이겨낼 거야."

재욱이 16살 때, 할아버지는 전설 속의 용문성, 그리고 그곳에 갇힌 기이한 존재인 엄마와 관련된 이야기를 해주었다. 할아버지의 눈빛에 섬뜩한 반짝임이 돌며 그 이야기를 들려줄 때마다 재욱은 어렴풋이 아프고 미묘한 감정이 들었다. 이야기가 끝나면 할아버지는 항상 깊은 한숨을 쉬곤 했다. 그리고 재욱은 어린 시절부터 이상한 꿈이 따라다녔다. 꿈속에서 과거의 기억을 떠올랐다. 용문성에서 그는 엄마 배 속에서 자라는 태아였다. 그리고 북한의 어느 감옥에서 그가 태어날 때 엄마의 영혼을 이어받았다. 뒤이어 어느 우주정거장에서는 수없이 반복되며 끔찍하게 고통받던 엄마의 미로 같은 시간이 그의 잠재의식 저 깊숙이 박혀 있었다.

시간이 흘러 재욱은 성인이 되었고, 신인류가 도착하기 시작했다. 다른 지구인들은 이 상황을 전혀 알지 못했으나, 그는 신인류가 도착했을 때 직감적으로 알았다. 신인류는 꿈속에서나 보던 존재들이었다. 지구인들의 욕심을 막기 위해 시작된 신인류와의 전투가 시작되자마자, 그는 그들로부터 피해 깊은 심해로 숨어들었다. 그리고 당시, 엄마인 라감과 영환과의 기억을 떠올렸다.

밤하늘에 수놓은 별들이 우주정거장의 커다란 창을 통해 반짝이며 쏟아지고 있던 그 날, 그는 아직 너무 작고 순수한 아기일 때, 기적이 일어났다. 우주정거장에서 엄마와 영환이가 서로 톱니바퀴 속에서 허우적거리던 그 순간, 그는 탁자에서 반짝이는 어떤 물체에 시선을 빼앗겼다. 호기심으로 손을 뻗어 그 물체를 잡았을 때, 묵직했고, 마치 살아있는 것처럼 손안에서 따뜻하게 빛났다. 그리고 그가 엄마와 나를 지구로 다시 보낼 때, 아무 생각 없이 그 물건을 집에 갖고 왔다. 재욱에게는 그 물건은 단순한 장난감에 불과했다.

이리저리 던지며 갖고 놀다가 잘못해서 장롱 밑으로 들어갔을 때, 엄마에게 신호를 보냈지만, 그녀는 알지 못했다.

다행인지 불행인지, 엄마는 그런 중요한 물건이 우리 집에 들어왔을 거라고는 영원히 알 수 없었다. 그 후로 몇 년이 지나 다시 물체를 발견한 그는, 호기심으로 여러 버튼을 눌러봤다. 그리고 그 물건의 비밀을 알고 엄마에게 들키지 않도록 늘 숨기며, 소중하게 간직했다.

그는 지구인과 신인류와의 전투 속에서 그 물체 덕분에 살아남을 수 있었다. 만약 그것이 없었다면, 지금의 재욱은 살지 못했다. 이 모든 것은 어린 시절의 우연이 만들어낸 기적과도 같았다.

그는 감사와 경외 속에서 그 물건을 30초 동안 바라봤다. 신인류가 승리하고, 크리스털 지구로 변할 때, 그는 자신만의 특이한 체취로 들킬까 봐 두려웠다. 그는 조용히, 심해 속에서 무덤덤하게 살아가며, 신인류들의 삶을 꾸준히 지켜보던 중 마음은 여러 가지 생각으로 빽빽했다. “세상이 얼마나 변하던, 변하지 않는 것이 있어.” “그것이 바로 불변의 법칙이며, 인류를 계속해서 발전시키고 이끌어나가는 원동력이지만, 꼭 좋은 점만 있지는 않군”

“인생은 언제나 변화 속 불확실성으로 넘쳐나지만, 그 안에서도 인간은 영원히 앞으로 나아가며 새로운 것을 발견하고 배우는 법을 알아가야 해.”

이것이 인간의 본성이며, 이것이 인생의 아름다움이라고 생각했다.

어느 날 신인류 사이에서 큰 울음이 터졌다. 외형은 신비롭고 경탄스러웠다. 각기 다른 색깔의 눈과 머리카락을 지닌 그 생명체는, 또 다른 세계에서 온 것처럼 보였다. 하지만 그 아기에게서도, 어딘가에서 느껴본 듯한 특유 지구인의 냄새가 났다.

"어디서 이 냄새 맡아본 거 같은데?" 신인류의 여성이 아기를 안으며 말했다. 모든 신인류가 아기를 돌아보며 고개를 갸웃거렸다. 그는 아기, 그리고 신인류 사이의 숨겨진 메시지를 주시하며 때를 기다렸다.

3-1 남자와 여자의 만남

붉은 황토와 붉게 물든 하늘 아래, 아담은 화성에서 태어나고 자란 근육질의 체격을 가진 남자였다. 아담은 투명하고 단단한 대지 위에서 또래 친구들과 뛰어놀다가 문득 몸에서 이상한 느낌을 받았다. 그는 5살이 되면서 다른 화성인 남자들처럼 자연스레 불알이 떨어져 나가 종족을 번식할 것을 알고 있었다. 이미 화성에서 어른들의 불알이 떨어지는 장면을 목격했기에, 그 순간이 곧 다가올 것을 예감했다. 하지만 이번에는 달랐다. 불알이 떨어져 나가야 할 시기가 되었는데도 불구하고, 아무런 변화가 일어나지 않는 것이었다.

아담은 불안한 마음으로 자리에 멈춰 서서 주변을 둘러보았다. 다른 친구들도 비슷한 나이였기에, 이미 불알이 떨어져 나간 상태였다. 그는 조심스럽게 손을 내려 자신의 몸을 만져보았다. 여전히 그대로였다. 아담의 얼굴에는 당혹감이 스쳤고, 이내 두려움이 밀려왔다. 그는 주변의 친구들에게 조심스럽게 물어보았다.

"너희들도 아직…. 안 떨어졌어?"

친구들은 고개를 끄덕이며, 당황한 표정을 지었다. "나도 안 떨어졌어, 우리 왜 이게 아직 안 떨어지는 거야?"

아담은 당황한 표정을 숨기지 못하고, 마음속 깊은 곳에서 불안이 밀려왔다. "잘 모르겠어. 뭔가 잘못된 걸까?"

손끝에서 느껴지는 감각은 놀라웠다. 그의 손가락이 닿는 순간, 탱탱하고 탄력 있는 두 알이 그의 손에 느껴졌다. 따뜻하고 말랑말랑한 느낌은 여전히 그의 몸에 붙어 있는 불알을 확인시켜 주었다.

"이게 도대체 무슨 일이지?" 아담은 중얼거리며 다시 한번 불알을 손가락으로 눌러보았다. 그의 손끝에서 느껴지는 주머니의 온기는 부드럽고 생기 넘쳤다. 차가운 느낌은 전혀 없었고, 마치 살아있는 생명체처럼 따뜻함이 느껴졌다.

아담은 불알을 손으로 더듬으면서 천천히 그 감각을 탐색했다. 손가락 끝에서 느껴지는 탄력과 함께, 그 내부의 부드러운 조직이 말랑말랑하게 그의 손끝을 자극했다. 그의 마음속에서는 점점 더 많은 의문이 피어올랐다. "왜 아직 떨어지지 않은 거지? 왜 이렇게 탄탄하게 붙어 있는 걸까?"

또 다른 친구가 그의 옆에 다가와 물었다. "무슨 일이야, 아담? 왜 그렇게 놀란 표정을 짓고 있어?"

아담은 불알을 만지던 손을 멈추고 친구를 바라보며 답했다. "내 불알이 아직 떨어지지 않았어. 원래는 떨어져야 하는데, 여전히 붙어 있어. 그리고 아주 따뜻하고 말랑말랑해."

심지어 그는 지구의 환경과 맞물리자 생명도 연장되어 13세가 되도 죽지 않았다. 아담은 지구의 푸른 초원 위를 걸으며 머릿속을 정리하려고 노력했다. 그는 13세가 되도록 여전히 건강하게 살아있다는 사실이 믿기지 않았다. 화성에서는 5세에 불알이 떨어지고, 13세가 되면 생명이 끝나는 것이 자연스러운 일이었다. 그러나 이곳 지구에서는 모든 것이 달랐다.

그는 푸른 하늘을 올려다보며 중얼거렸다. "왜 내가 계속 살 수 있는 거지? 화성에서는 13세가 되면 당연히 죽었을 텐데, 여기는 왜 이렇게 다른 걸까?"

아담은 자신의 몸을 이리저리 살피며 천천히 걸음을 옮겼다. 그의 피부는 여전히 건강했고, 근육은 강했다. 지구의 공기는 화성의 얇은 대기와는 비교할 수 없이 풍부하고 상쾌했다. 그는 깊게 숨을 들이쉬며 그 신선한 공기를 느꼈다.

"아마도 지구의 환경 덕분일 거야," 아담은 자신에게 말했다. "지구는 화성과는 완전히 다른 환경을 가지고 있어. 이곳의 대기는 화성보다 훨씬 두껍고, 산소도 풍부해. 아마 그게 내 몸을 더 건강하게 만들어주는 것 같아."

그는 지구의 자연을 둘러보며 골똘히 몰두했다. "그리고 이곳의 식물들…. 화성에서는 볼 수 없는 다양한 식물들이 있어. 이 식물들이 내 몸에 필요한 영양소를 공급해주고 있는지도 몰라."

아담은 지구의 투명한 잔디에 몸을 맡겼다. "여기서는 모든 것이 풍부해. 물도, 음식도, 공기도. 아마 이 풍요로운 환경 덕분에 내가 이렇게 오래 살 수 있는 거겠지." 그는 자신을 둘러싼 자연의 아름다움을 느끼며 조용히 웃었다.

아담은 지구의 환경이 자신의 생명을 연장해주고 있다는 것을 깨닫고, 감사한 마음으로 앞으로의 시간을 기대했다. "이곳 지구에서 나는 더 많은 것을 배울 수 있을 거야. 그리고 더 오래 살아가며, 이곳의 비밀을 밝혀내야겠어."

뒤이어, 열대우림 속 한가운데서 금성에서 온 이브라는 여인을 만났다. 그녀는 아담과 전혀 다른 매끄러운 피부, 그리고 은은하게 빛나는 실루엣과 눈동자는 별빛처럼 반짝여 아담에게 순간강탈의 느낌을 주었다. 그의 눈에는 그녀가 신화 속의 여신처럼 느껴졌다.

"너는 누구지?" 두 사람의 첫 대화는 서로를 관찰하는 것으로 시작되었다. 서로의 몸을 마치 고대의 아담과 이브처럼 야릇한 시선으로 바라보며, 서로의 눈 속에 깊이 빠져들었다. 강한 생명력을 나타내는 아담의 군살 없는 몸은 이브에게 있어 뭔가를 강하게 끓어올렸고, 그녀는 한 발 한 발 다가가며 그의 존재감을 느끼려 했다.

반대로, 이브의 몸은 아담에게 있어 신비와 경이의 대상이었다. 그녀의 피부는 화성의 땅과는 달리 투명하고 맑았다. 그녀의 머리카락은 금성에서 온 햇살처럼 금빛으로 반짝였고, 미소짓는 모습은 꽃이 피어난 것 마냥 아름다웠다. 마치 시간이 멈춘 듯, 그녀의 모습에서 눈을 떼지 못했다. "너는 왜 여기에 있는 거지?" 그가 은근한 목소리로 힘을 주고 물었다.

이브는 잠시 머뭇거리다 입을 열었다. "나는 그저 다른 세상을 경험해보고 싶었어. 금성에서의 삶은 안정적이지만 너무 반복적이거든. 너는?"

"나는 화성에서 태어났어. 여기서 태어나고 자랐지. 달리 선택할 수 없었어." 아담은 웃음 지으며 대답했다. "하지만 너와 만나게 된 것은 운명 같아." 서로의 존재를 탐험하며, 그들은 마치 처음으로 인간의 몸을 발견한 인류처럼, 서로의 생명력을 체감했다. 손끝이 맞닿자 한순간 전기가 흐르는 듯한 느낌이 들었다. 그들의 첫 접촉은 혼란스럽고 복잡한 감정을 불러일으켰다.

그는 그녀의 손을 잡으며 자신도 모르게 요동치는 심장을 달랠 수 없었다. "너의 존재가 내가 알던 모든 것을 뒤바꾸어 놓았어." 아담이 말했다. "나도 그래. 이 순간이 평생 잊히지 않을 것 같아." 이브가 그의 눈을 바라보며 속삭였다. 따뜻한 포옹으로 서로를 감싸며, 두 사람은 점점 더 가까워졌다. 그녀는 지구와 금성을 오가며 새로운 경험을 많이 했지만, 그와의 만남은 또 다른 호기심을 불러왔다.

어느 날, 아담은 다이아몬드 숲의 맑고 투명한 길을 걸어 이브의 곁에 다가왔다. 그는 그녀의 손을 부드럽게 잡았다. 이브의 손은 따뜻하고, 투명한 다이아몬드 조각들이 반사하는 빛이 그녀의 피부에 아름다운 무늬를 만들어냈다. 그들은 서로의 눈을 바라보며 미소를 지었다. 에바는 아담에게서 느껴지는 독특한 매운 냄새에도 익숙해졌다. 그 냄새는 마치 향신료처럼 강렬하면서도 신비로웠다.

아담은 소박하고 차분한 성격으로, 숲의 평온한 공기를 마시며 편안하게 앉아 있었다. 그의 주위에는 작은 다이아몬드 조각들이 반짝이며 그의 움직임에 따라 조용히 반응했다.
한편, 이브는 활기차고 다소 감정적인 성격으로, 숲속의 생명력을 느끼며 삶의 활력을 얻었다. 다이아몬드 숲은 그녀에게 영감을 주었고, 그녀의 눈에는 반짝이는 크리스털 나무와 꽃들로 가득 차 있었다.
"우리는 정말 다르다, 아담." 이브가 소리쳤다. "너는 항상 그렇게 차분하고, 모든 일에 대해 고요하게 대처하는 것 같아."

아담은 미소를 지으며 대답했다. "맞아, 이브. 너는 활기차고, 감정이 복잡하고 표현도 복합적이야."

그들의 다름을 서로가 이해하고 받아들이는 데는 시간이 걸렸다. 아담은 이브의 열정과 감정적인 반응을 어려워했고, 이브는 아담의 차분한 성격을 납득하기 힘들었다.

"이렇게 고요한 분위기에서 어떻게 너같이 다채로운 표현과 언어를 구사할 수 있을까, 이브?" 아담이 물었다.

이브는 미소를 지으며 대답했다. "그냥 숲의 아름다움을 느끼면서 즐겨봐요, 아담. 이런 순간은 놓칠 수 없어요."

아담은 열린 크리스털 책상 위에 투명한 컴퓨터 앞에 앉아서 눈을 감았다. 이브는 막 그의 방에 뛰어들어서 어깨를 툭 쳤다.

"무슨 일이야?" 이브가 물었다.

"이 파일이 계속 열리질 않아." 아담이 눈을 뜨며 말했다.

"그냥 컴퓨터를 껐다 켜봐."

"이미 해봤어."

이브는 눈썹을 찡그리고 아담의 컴퓨터를 살펴보더니 빠르게 투명한 창에 손짓으로 클릭하더니 파일이 열렸다.

"봐. 화성인들은 너무 단순해." 이브가 웃으며 말했다.

아담은 고개를 끄덕이며 그녀의 손짓을 보았다. 그리고 미소를 지으며 말했다. "고마워. 하지만 우리 화성에서는 이런 복잡한 문명을 다뤄본적이 없어"

이브는 방안을 돌아다니며, 그의 책상 위에 놓인 책들을 잠시 들여다보다가 뒤로 물러나 손을 휘저으며 그의 얼굴을 보며 말했다.

"언제까지 서핑만 할 거야? 나랑 놀자."

"나는 발전한 문명을 공부 중이야. 나도 크리스털 지구에 적응하고 싶어" 아담이 말했다.

"항상 그런 짓만 해." 이브가 투덜거렸다. "이 세상에는 놀 만한 게 충분하고, 공부하지 않아도 사는데 걱정이 없는데."
아담은 한숨을 내쉬고 글을 읽었다. 이브는 고개를 휙 돌리고 방을 나갔다. 아담은 무표정하게 손으로 글을 다음 장으로 넘겼다. 몇 시간이 지나, 이브가 무언가를 자랑하려는 듯 그의 곁을 다시 서성거렸다.

"아담, 이거 봐!" 이브가 갑자기 외쳤다. "나 새로운 에너지 공명기 만들었어! 너도 이리 와서 이제 같이 좀 놀자!" 아담은 이브의 요구에 응하고, 바람을 쐬러 갔다. 크리스털 디자인으로 꾸며진 거대한 백화점으로 그들은 순간 이동했다. 홀로그램 기술로 원하는 옷을 맘껏 입을 수 있었지만, 이곳은 예술가들이 자아실현 욕구를 충족하기 위해 만들어진 공간으로, 신인류 남녀도 그녀의 작품을 감상하며, 쇼핑을 즐기는 장소였다.

하지만 이곳에서도 그들 사이의 성격 차이는 극명하게 드러났다. 백화점에 들어선 아담은 필요한 물건의 목록을 홀로그램 디스플레이에 띄우고, 곧바로 구역별로 나누어진 안내 지도를 분석했다. 그리고 빠르게 목적지로 향하며, 예술가들의 제품의 성능과 기능을 꼼꼼히 검사했다.
"이 스마트 재킷, 홀로그램보다 발전된 온도 조절 기능이 있는지 확인해야겠군." 아담은 손목에 찬 스마트 밴드로 제품의 정보를 검색하고, 재킷의 소재와 기능을 비교했다. 그리고 시간이 아까운 듯, 불필요한 제품은 눈길조차 주지 않고 효율적으로 쇼핑했다.

반면, 이브에게 쇼핑은 일종의 호기심과 재미였다. 그녀는 백화점에 들어서자마자 다양한 제품을 구경했다 "이 작가의 드레스, 정말 아름다워! 입어봐야겠어." 홀로그램 거울 앞에 서서 드레스를 입어본다. 홀로그램 기술로 다양한 색상과 디자인을 시도해보며, 아담이 옆에서 지루해해도 즐거워했다.

이브는 제품의 기능보다는 디자인에 신경 썼다. "이 향수, 정말 좋다. 향이 마음에 들어." 그녀는 향을 맡으며 기분 좋게 웃었다. 여전히 아담은 옆에서 하품하고 있다. 기다리다 지친 아담은 가전과 노트북 판매장으로 가서 혼자 이것저것 만져보기로 했다.

둘은 쇼핑을 마치고 만나 서로 얘기 중이었다. "아담, 넌 벌써 다 샀어? 난 아직도 보는 중인데." 이브가 말하자, 그는 체념한 듯, 미소를 지으며 대답했다. "굳이, 우리 문명으로 이런 곳에 오지 않아도 모든 것을 얻을 수 있는데, 넌 이렇게 쇼핑을 즐기는구나."

둘은 서로의 성격 차이를 이해하며, 함께 백화점을 나갔다. "이런 경험도 은근 재미있네. 가끔은 너처럼 천천히 즐기는 것도 괜찮을 것 같아." 아담이 선의의 거짓말을 하자, 이브는 고개를 끄덕이며 대답했다. "맞아, 하지만, 가끔은 너처럼 효율적으로 쇼핑하는 것도 나쁘지 않겠어."

밤이 깊어가는 다이아몬드 숲속, 이브는 부드러운 손길로 아담의 얼굴을 쓰다듬으며 말했다. "우리는 어떤 부분에서 서로 다르지만, 그것이 우리를 하나로 합쳐 완성하는 것 같아."

아담은 이브를 보며 웃음을 참으며 말했다. "맞아, 우리는 서로 다르지만 그게 우리를 더 풍요롭게 만들어."

이브는 미소를 지으며 아담의 손을 잡았다.

다이아몬드 숲은 마치 동화 속에서나 볼 법한 아름다운 광경을 자아냈다. 다이아몬드 나무들은 햇빛을 받아 수백 개의 빛나는 반사체가 되어 주변을 은은하게 비추었다. 나무의 잎사귀는 투명하고 섬세하며, 바람이 불면 아름다운 소리를 내며 흔들렸다. 이 숲은 눈부시게 아름다웠으며, 동시에 평온함을 자아냈다.

숲속의 생명체들은 모두 크리스털로 이루어져 있었다. 반짝이는 나비는 날개를 펼칠 때마다 오색찬란한 빛을 발산하며, 크리스털 새들은 맑고 투명한 노랫소리로 숲을 채웠다. 다이아몬드 숲의 공기는 상쾌하고 깨끗했으며, 은은한 향신료 냄새가 코끝을 간지럽혔다. 다이아몬드 숲의 바닥은 작은 크리스털 조각들로 덮여 있어, 발을 디딜 때마다 아작아작 소리가 났다. 이곳은 마치 마법의 세계처럼 신비롭고, 동시에 평화로웠다. 근처에 작은 크리스털 연못도 있었고, 그 물은 맑고 차가웠다. 연못 주위에는 반짝이는 크리스털 꽃들이 피어 있어, 그 아름다움은 말로 표현하기 어려웠다. 은은한 반짝임이 그들의 피부를 빛나게 하는 가운데, 숲속의 공기는 차분하면서도 미묘함이 맴돌았다.

이브의 눈은 호기심과 기대감으로 빛났고, 아담의 눈은 따뜻함과 열망으로 일렁거렸다. 그들은 서로의 손을 잡고, 눈을 바라보며 다이아몬드 숲의 아름다움 속에서 서로를 받아들이고 있었다.

이브가 먼저 입을 열었다. "아담, 이 숲속의 모든 것이 이렇게 빛나는데, 우리도 그 빛 속에서 빛날 수 있을까?"

아담은 이브의 머리를 쓰다듬으며 부드럽게 답했다. "이브, 우리는 이미 빛나고 있어. 다이아몬드 숲속에서 너와 함께 있는 이 순간이 나에게는 무엇보다 소중해."

이브는 아담의 손을 놓지 않은 채 그의 얼굴을 어루만지며 말했다. "네 눈 속에 비치는 내 모습이 너무 아름다워. 이 숲의 모든 것보다 더 빛나는 것 같아."

아담은 미소를 지으며 이브의 입술을 바라보았다. "너는 이 숲의 가장 아름다운 보석이야, 이브. 네 미소는 이 모든 다이아몬드보다도 더 빛나."

이브는 아담의 말을 듣고 부드럽게 웃으며 그의 가슴에 손을 올렸다. "네 말이 정말 진심이라면, 나를 더 깊이 느껴봐. 이 순간을 더 특별하게 만들어줘."

아담의 입술은 그녀에게 천천히 가까이 다가갔다. "너와 함께라면, 모든 순간이 특별해. 이 다이아몬드 숲이 우리의 사랑을 더욱 빛나게 해줄 거야."

이브는 짧게 입을 맞추고 말했다 "그럼, 우리가 서로를 더 깊이 느껴볼 수 있도록, 이 순간을 즐겨봐요."

아담은 이브의 금빛 온기가 아우르는 얼굴에 가까이 다시 다가가며 속삭였다. "이브, 네 모든 것을 알고 싶어. 네 모든 감정을, 네 모든 생각을."

이브는 아담의 속삭임에 몸을 살짝 떨며 말했다. "나도 그래, 아담. 너와 함께라면, 이 숲속의 모든 것이 더 영롱해지고, 아름다워져."

그들은 서로를 끌어안으며 천천히 움직였다. 이브의 손은 아담의 천으로 된 갑옷 끝을 잡고 벗기기 시작했다. 아담은 이브의 손길을 느끼며 그녀의 눈을 바라보았다.

"너의 손길이 나를 더 살아있게 만들어." 아담이 속삭였다.
이브는 미소를 지으며 갑옷을 완전히 벗기고 그의 가슴을 어루만졌다. "이 순간, 우리 둘만의 시간이야. 이 숲속에서, 우리 둘만의 세계를 만들어가자."

아담은 이브의 말을 들으며 그녀의 몸을 부드럽게 감싸 안았다. "그럼, 우리 둘만의 세계를 만들어가자. 이 순간을 영원히 기억할 수 있게."

그들은 서로를 바라보며 천천히 움직이던 손이 본능적으로 자신의 옷을 벗기며 바쁘게 움직였다. 숲속의 반짝임은 그들의 몸을 더욱 빛나게 했고, 그들의 사랑은 숲의 모든 것보다도 더 찬란했다.

"이브, 우리 이제 사랑을 나누는 건가?" 아담이 조심스럽게 물었다.

말하면서, 화성의 남자는 금성 여자의 몸을 보고 이상하다며 놀라는데, 그녀가 금빛 갑옷을 벗자 놀라움은 절정에 달했다. 그녀의 가슴은 봉긋하게 솟아오르고, 중앙에는 덜렁거리는 것이 없다는 사실에 이상야릇한 감정에 사로잡혔다. 그리고 그녀가 갑옷을 벗으며 나타나는 몸은 환상적으로 아름다웠다. 황금빛 피부가 태양 빛을 받아 빛나고, 머리카락은 화려한 금빛 광택을 띄며 바람에 흔들렸다.

화성인 남자는 흥분된 목소리로 말했다. "이건 뭐야!?"

이브는 부드러운 목소리로 대답했다. "금성의 보호장치야. 지금은 위협을 느끼지 않아서 이를 벗을 수 있어."

"하지만 갑옷을 벗으니 왜 가슴이 더 볼록하지? 왜 이렇게 이상하게 생겼어?"

"너와는 조금 다르지. 나의 몸은 정체성을 반영해."

화성의 남자는 그녀의 말보다는, 그녀의 몸을 더 알고 싶어졌다. "나의 몸과 다르다니. 정말 신기해!" 화성의 남자는 눈을 크게 떠, 그녀의 아름다움과 신비로움에 홀리고. 끌렸다. "너희의 정체성을 반영한다는 말은 또 무슨 뜻이야?"

이브는 다시 대답했다. "몸이 우리를 나타내는 방식이야. 여기 부드러운 몰캉함의 의미는 아름다움과 생명을 의미한다고 친구들에게 들었어."

그의 뇌는 각종 호기심과 이상한 느낌으로 번졌다. 이브도 아담의 몸을 보며 깜짝 놀랐다. 중앙 하체에 달린 이상한 물건과 단단한 근육은 그녀를 알 수 없는 소용돌이처럼 한 곳으로 끌어들였다. 그녀는 이상한 물건을 주의 깊게 살펴보며 들여다보았다. 그 물건은 생소하고 신비로웠지만, 동시에 아름다움을 자아내는 것처럼 보였다. 그리고 그의 단단한 근육은 마치 조각된 대리석 같았다. 힘과 우아함이 조화를 이루며, 이브를 야릇한 생각으로 물들만했다. 이브는 그의 신체를 부드러운 손길로 감탄하며 눈길은 이상한 물건에 다시 주목했다. 자꾸 그의 몸과 물건에 시선을 피할 수 없었다.

이브는 그의 가슴 근육에서 손을 내려 몸 중앙에 달린 이상한 물건을 만지작거렸다. 그녀의 손가락이 그것을 감싸자, 놀라운 감각이 그녀를 휩쓸었다. 그것은 부드럽고도 따뜻했지만, 가끔은 이상하게 딱딱한 느낌이었다. 그리고 그의 고유한 능력처럼 작아졌다가 커졌다.

이브: "와, 정말 신기해! 이건 뭐야?" 손가락으로 아담의 몸 중앙에 달린 이상한 물건을 만지작거리며 말했다.

아담: "그건 내 심장이야. 우리 행성에서는 다들 있어."

이브: "진짜? 심장이라고? 왜 이건 이상하게 떨리고 있어?"

아담: "그건 나도 잘 모르겠어."

이브의 입이 벌어졌다. "와, 정말 신기해!" 그녀는 귀여운 미소를 지으며 아담의 눈으로 시선을 돌렸다. 그리고 똑똑한 문명에서 온 금성인 여자는 이 물건이 무엇인지는 조금은 알겠다며, 호기심 어린 눈빛으로 말했다.

"근데, 한 가지 조건이 있어. 당신은 나보다 키가 커지거나 적어도 비슷해져야 해. 그렇지 않으면 우리는 제대로 사랑을 나눌 수 없어."

아담은 당황한 표정을 지으며 몸을 작아졌다가 커졌다가 하는 것을 보여주었다. "내가 이렇게 변할 수 있는데, 어떻게 해야 키를 맞출 수 있을까?"

이브는 웃음을 터뜨리며 말했다. "너 정말 귀엽다, 아담. 하지만 지금은 진지하게 생각해봐. 우리 몸의 크기가 비슷해야 서로를 더 잘 이해할 수 있을 거야."

아담은 다시 몸을 작아졌다 커졌다 하며 심각한 표정으로 말했다. "그러면 내가 어떻게 해야 너와 같은 크기가 될 수 있을까?"

이브는 그의 얼굴을 부드럽게 쓰다듬으며 말했다. "그냥 편하게 있어 봐. 내가 너에게 맞출게."

아담은 이브의 말을 듣고 몸을 자연스럽게 변형시켰다. 그의 몸은 에바와 비슷한 크기로 변하더니, 그녀의 품에 안겼다. 그들은 서로의 체온을 느끼며 부드럽게 입맞춤을 나눴다.

"이제야 맞는 것 같아," 이브가 속삭였다.

그들의 몸은 자연스럽게 하나가 되었다. 이브는 아담의 변화하는 몸을 느끼며 그를 더 깊이 받아들였다. 아담의 몸은 마치 살아있는 물체처럼 부드럽게 변하며 그녀에게 맞춰졌다. 그들의 사랑은 자연의 리듬에 맞춰 완벽하게 어우러졌다. 그러나 이 순간에도 유머는 빼놓을 수 없었다. 아담이 몸을 더 크게 변형시키려고 할 때, 갑자기 너무 커져 버려서 이브의 몸이 뒤로 밀려났다. 둘은 그 상황에 크게 웃음을 터뜨렸다.

"너 너무 과한데!" 이브가 웃으며 말했다.
"미안, 너무 열심히 맞추려고 했어." 아담도 웃음을 멈추지 못하며 말했다.

신비로운 그들만의 의식이 끝날 즈음, 화성의 남자와 금성의 여자는 알 수 없는 향기가 공중에 스며들기 시작했다. 그 향기는 향기롭지 않았다. 오히려 밤꽃이 피어나는 시간의 고요함을 연상케 했다. 그 향기와 함께 끈적거리는 물질은 상황을 더욱 신비롭게 만들었다. 이 뜻밖의 현상에 둘 다 경이로워하며 서로를 응시했다.

"이런 일은 처음이야." 화성의 남자인 아담이 속삭였다. 그의 눈은 놀라움으로 반짝이며 이상한 물질을 주의 깊게 살펴보았다.

금성의 여자인 이브도 마찬가지로 놀라움을 감추지 못했다. 그녀는 신비로운 향기와 함께 끈적거리는 물질을 손으로 만졌다. "이건 또 뭘까? 미친 듯이 신기해!"

뜻밖의 현상과 함께 그들은 좀전의 모험을 약속하듯 떠오르며, 다시 서로의 몸을 박자에 맞추며 더 깊은 아름다움으로 떠났다. 에바는 아담의 몸에서 느껴지는 따뜻함과 변화무쌍한 매력을 느끼며 그와 하나가 되는 순간을 즐겼다. 그들의 사랑은 자연스럽고 아름다웠으며, 동시에 유머와 즐거움이 충만한 순간이었다.

그와의 두 번의 사랑을 나눈 뒤, 이브는 은은한 빛이 감도는 아름다운 숲속에서 또래의 금성인들과 함께 수다를 떨었다. 그녀는 20살이 되면서 매년 1번 금빛 피를 쏟아내는 중요한 시기가 왔다. 하지만 이번에는 아무런 일도 일어나지 않았다. 금빛 피가 흐르지 않는 것이었다. 그녀는 친구들과의 수다를 멈추고, 자신의 몸을 살펴보았다. 몸에는 아무런 변화가 없었다. 그녀는 두려움에 떨며 주변을 둘러보았다. 다른 친구들은 모두 평온한 얼굴로 수다를 떨며 자연을 만끽하고 있었지만, 그녀는 심각한 고민에 빠졌다.

″왜…. 왜 나만 금빛 피가 흐르지 않는 거지?″ 이브는 속으로 외쳤다. 그녀는 곧바로 자신의 문제를 친구들에게 털어놓았다. ″너희들도 이런 적 있어?″

일부 친구들은 고개를 저으며 말했다. ″나는 이미 금빛 피가 흘렀어. 그런데 너는 왜 아직 안 되는 거야?″

다른 일부는 고개를 끄덕였다. “나는 피가 흐르긴 하는데, 금빛 피가 아닌 붉은 피가 나와. 어떻게 된 건지 모르겠어.”

이브는 불안이 밀려왔다. ″무슨 일이 벌어지고 있는 거지? 나에게 무슨 문제가 생긴 걸까?“

금성의 여성들은 지구의 중력과 대기에 적응하며 새로운 변화가 생겼다. 그들은 이전에 '화산의 흔적'에서 금빛 피를 흘리며 종족을 번식하고, 친구를 만들었으나 지구에서는 그 능력이 사라졌다. 그리고 화려한 외모는 여전했지만, 150세였던 평균 수명은 80세로 줄어들고, 지구의 생리적인 환경과 물리적 법칙이 그들의 능력을 바꿨다. 아담과 이브는 각자 신체에서 일어나는 일들로 혼란스러웠다. 그들은 서로 다른 행성에서 태어나고 자랐지만, 지구에 도착해 같은 문제로 당황했다. 종족을 번식해야 할 시기에 아무런 변화가 일어나지 않는 상황과 앞으로 어떤 일이 벌어질지 알 수 없는 미래를 걱정했다. 하지만, 불안감보다는 호기심에 더욱 이끌려 남녀는 서로를 찾아가며 모든 대륙과 바다를 순간 이동하며 자유롭게 이동했다.

아담과 이브가 투명하고 영롱한 숲속에서 만나, 서로에게 사랑에 빠졌듯이, 다른 커플은 사하라 사막의 황량한 모래 언덕에서 서로의 뜨거운 열정을 나눴다. 사하라의 태양 아래, 그들의 애정은 더욱 뜨거워졌고, 서로를 향한 욕망으로 녹아들었다. 또 다른 이들은 히말라야산맥의 높은 봉우리에서 서로의 아름다움을 확인했다. 눈 위에서, 그들은 서로를 감싸 안고 눈물을 흘리며 영원한 사랑을 서약했다. 그들은 서로의 따사로운 품에 안겨 안정감을 느끼며, 행복에 부드러운 손길을 더했다. 그들은 이렇게 공간을 초월하며 지구의 다양한 곳에서 사랑과 잠자리를 만끽했다.

두 행성의 신비가 얽히고설키듯, 그들의 마음도 점점 더 강렬히 얽히고설켰다. 그렇게 화성의 남자와 금성의 여자는 신비로운 사랑을 만들며, 새로운 이야기를 써 내려 갔다. 그리고 이들의 사랑을 지켜본 나머지 화성인 남자들은 금성인 여자를 찾았다.

밤이 되자 크리스털 지구의 거리는 화려한 조명으로 물들었다. 특히 나이트와 클럽이 밀집한 '네온 거리'는 화성 남자들과 금성 여자들로 북적거렸다. 남자들이 여성들을 꾀려고 가장 많이 모이는 장소였다.

그중에서도 클럽 '스타더스트'는 가장 인기 있는 장소였다. 입구에서부터 화려한 홀로그램이 반짝이며 손님을 맞이했고, 안쪽으로 들어가면 무중력 댄스 로봇이 사람들을 기다렸다. 남자들은 클럽에서 금성 여자에게 작업을 걸었다. 한 남자는 옷깃에 숨겨진 미니 프로젝터를 켜서, 자신이 얼마나 유머러스하고 매력적인 사람인지를 보여주는 영상을 상영했다. 또 다른 남자는 자기 주변에 무형의 향기 필드를 만들어, 여성들이 자연스럽게 다가오도록 유도했다.

클럽 중앙에서는 화성 남자 제이크가 금성 여자 리사를 눈여겨봤다. 그는 자신감 넘치는 미소를 지으며 다가갔다. 크리스털 지구의 빛을 반사하는 드레스를 걸친 그녀는 그 반짝임이 매력을 더욱 돋보이게 했다. 제이크는 유전자 변형 기술을 활용해 자신의 모습을 살짝 바꿨다. 눈동자는 연한 분홍빛에서 눈부신 푸른빛으로 변했고, 입가에는 자연스러운 미소가 맺혔다. 그리고 리사에게 다가가 말했다. "안녕하세요, 이곳에 자주 오시나요?"

리사는 제이크를 흘낏 쳐다보며 웃음을 참지 못했다. "저는 금성에서 온 리사예요. 당신은 화성에서 오셨나 봐요?"

제이크는 고개를 끄덕이며 말했다. "맞아요. 화성에서는 이렇게 멋진 나이트를 찾기 어렵죠. 이곳은 정말 환상적이고, 당신도 마찬가지예요."

그들은 무중력 무대로 나갔다. 제이크는 가볍게 떠오르며 손을 내밀었다. 리사는 그의 손을 잡고 공중에서 춤을 추기 시작했다. 그들의 몸은 중력에 구애받지 않고 자유롭게 움직였고, 주위의 화성 남자들은 부러운 눈길로 그를 지켜봤다.

클럽 밖에서도 화성 남자들은 여자를 유혹했다. 한 남자는 자신의 다이아몬드 자동차를 자랑하며 금성 여자를 태우려고 했고, 또 다른 남자는 에너지 편집 기술 드론을 이용해 화려한 빛의 쇼를 펼치며 시선을 끌었다. 여자들은 이러한 상황을 즐기면서도, 때로는 부담스러웠다.

크리스털 지구는 90억 명의 화성인의 이주와 6억 명의 금성인의 이주로 성비 불균형이 심각했다. 이로 화성 남자들은 각자의 매력을 어필하기 위해 휘황찬란한 다양한 기술을 연구해 사용했다, 즉 여자의 사랑을 얻은 남자들은 부러움을 한 몸에 받았고, 커플이 된 이들은 도시의 밤을 밝히는 별처럼 반짝이며, 각자의 방식으로 소통하고 연결되었다.

3-2 새로운 생명체의 탄생

크리스털 지구의 나이트와 클럽 그리고 숲속의 인연 중 약 50%는 결혼에 골인했다. 금성 여성들은 평균적으로 한 명당 하나에서 두 명의 아이를 낳았다. 이렇게 태어난 아기들은 금성 여성의 고유한 특성과 화성 남성의 강인함을 동시에 지닌 신세대였다. 약 3억 명의 아이들이 태어났다.

한편, 성비 불균형으로 커플이 되지 못한 남자들의 대화가 거리 속에 즐비했다.

"너, 요즘 그 여자랑 잘 돼가?" 한 남자가 물었다.

"아, 걔? 완전 까다로워. 지난번에는 자기 좋아하는 고양이 로봇 사달라고 해서, 그거 구하느라 홀로그램을 12시간 동안 사용했어."

그래도 넌 낫네. 난 지난주에 금성 요가 수업 들으라고 해서, 지금 매일 로봇이 내 몸을 찢고 있어. 근데 겨우 관심 좀 받는 수준이야."

"그래도 포기 못 하지. 금성 여자들이 워낙 매력적이잖아. 그 웃음 한 번에 다들 녹아내리지 않나?"

다른 쪽 길거리에서는 한 화성 남자가 금성 여자에게 열심히 대시하고 있었다. "혹시 다음 주말에 같이 우주 탐험가실래요? 제가 새로 만든 강아지 로봇도 보여드릴게요."

금성 여자는 눈웃음을 지으며 대답했다. "강아지 말고, 클럽 안 유명한 하이퍼 룸도 예약해 줄 수 있어요? 제 친구들이 거기서 엄청난 파티를 했다고 하던데."

"물론이죠! 제가 바로 예약하러 가겠습니다!" 남자는 신나서 뛰어나갔다. 바에서는 바텐더가 손님들과 대화를 나누며 웃었다. "요즘 화성인들을 퐁퐁남이라고 하죠? 여기서 매일같이 여자들에게 관심 받으려고 난리 났네요."

한 남자는 4D 프린터 요리 수업에 등록했고, 다른 남자는 꽃 유전자 배열 기술을 배우기 시작했다.

"이러다 진짜 요리사가 되겠어," 한 남자가 웃으며 말했다. "하지만 뭐, 금성 여자들이 좋아한다면 그 정도는 해야지."

화성 남자들은 여전히 퐁퐁남으로서의 삶을 살아갔지만, 이 모든 것이 크리스털 지구의 독특한 사랑 이야기였다.

한편, 어떤 금성 여자는 자신의 배가 볼록하게 튀어나온 것을 보며, 호기심으로 홀로그램 거울을 살펴봤다. 그리고 배 위에 손을 올려보았고, 깜짝 놀라며 자신의 뱃속에서 무언가가 움직인다고 중얼거렸다.

"이게 무엇일까요?" , "내 배 속에는 무언가가 있다는 게 확실하네요. 이게 도대체 뭐죠?"

금성의 여자는 눈을 반짝이며 자신의 배를 더 자세히 들여다보았다. 그리고 불안한 표정으로 화성의 남자에게 다가갔다. 그녀의 눈은 어느덧 호기심에서 긴장과 불안으로 부풀어 올랐다.
"어서 이리 와요!" , "뱃속에서 누가 저를 자꾸 때려요."

화성인 남자는 그녀의 목소리에서 불안함을 느꼈지만, 고개를 끄덕이며 옆에 앉았다.
금성인 여자는 불안한 표정과 함께 눈을 반짝이며 화성인 남자의 손을 잡았다. 그리고 맞잡은 둘의 손이 부드럽게 배 위를 쓸었다. 그가 다른 손을 뻗어 다시 그녀의 배를 감싸자, 그녀는 다시 말했다. "여기에 누군가 정말 있어요. 제가 느낄 수 있어요." 목소리는 소리가 작아서 거의 귓속말처럼 들렸다. "뭔지 모르겠지만, 함께 이겨낼 거죠?."
남자는 주저하는 듯했지만, 그도 그녀의 복잡한 감정을 알아차렸다. 배는 평소보다 더욱 볼록하고 따뜻했다. 손끝으로 느껴지는 감각은 평소 그녀의 배가 아니었다. 뭔가 신비로운, 살아있는 것 같은 느낌이었다.

"당신도 모르겠지만, 정말 이게 뭔가요?" 눈이 커진 채, 답이 없는 질문을 했다.

여자는 조용히 웃음소리를 내며 대답했다. "이것은 우리의 미래, 우리의 희망, 우리의 사랑이 담긴 게 아닐까요?" 그녀는 주변을 살피며 눈을 반짝이며 말했다. "그리고 이제 우리는 함께 그것을 지켜내야 해요."

남자는 시큰둥하며 그녀의 말에 고개를 끄덕였다.

얼마 지나, 금성인은 불안과 짜증을 내는 모습이 보였다. 불안한 마음에 조금씩 입덧을 하며, 자신의 얼굴에는 분노와 혼란이 서서히 나타났다.

"내가 짜증을 내다니 이게 무슨 일이지?" 그녀는 소리 내어 중얼거렸다. "살면서 한 번도 불평해본 적이 없는데?"

여자는 자신의 몸 안에서 느껴지는 이 낯선 느낌에 처음으로 누군가에게 짜증을 내는 것을 경험하며, 자신의 배에 손을 대고 진정했다. 그리고 갑자기 다양한 음식이 머릿속에 떠오르며 다양한 욕구가 불타올랐다. 그녀의 입안에서는 이전에 경험하지 못한 각종 음식의 향기가 번지기 시작했다.

먼저, 신선한 과일의 달콤한 향기가 그녀의 코를 간질였다. 그녀는 상상 속에서도 토마토의 산뜻한 맛과 포도의 달콤함에 침샘이 돋았다. 그리고 갑자기, 바닷속에서 신선한 생선의 향기가 그녀를 감싸기 시작했다. 육식해본 적이 없는 그녀가 생선의 신선함과 새하얀 속 살의 부드러운 맛을 맛보았다. 강렬한 바닷속의 풍경과 함께 갓 구운 생선 요리가 이미지로 번졌다.
그런 생각에 휩싸인 그녀는 과거에 경험하지 못한 육식 동물의 피와 고기도 떠올랐다. 고기의 구수한 향기와 질긴 식감이 그녀의 입안을 침으로 물들였다. 여자는 강렬한 욕구에 투정 부리며 화성인 남자에게 말했다.

남자는 여자의 갑작스러운 욕구를 이해하기 어려웠다. 그의 눈가에는 의아함이 서려 있었고, 입술은 가볍게 움직이며 무언가 말을 꺼내려다 멈췄다. 그리고 얼굴에는 약간의 황당함과 불편함이 묻어났다. "야만, 야만, 야만!!! 그런 잔인한 음식이 왜 그렇게 끌리는 거죠?"

그러나 여자는 강렬한 음식과 함께 그녀만의 욕구를 설명했다. 그녀의 몸 안에서 새롭게 느끼는 감각과 욕망에 관해 이야기하며, 남자에게 감정을 전달했다. 그녀의 장대한 설명에도 불구하고 화성인 남자는 여전히 의아한 표정을 지으며 그녀를 야만인 보듯이 응시했다.

며칠 후, 금성인은 자신의 가슴에서 흰 액체가 나오는 것을 발견하고는 당황한 표정으로 눈을 크게 떴다. 그녀는 손으로 가슴을 쥐며 빈틈없이 액체를 짜내고는, 주변을 살펴보았다. 가슴에서 짠 액체는 투명하고 맑은 물 같은 액체였다. 그녀는 머리를 갸우뚱하며 이상한 생각을 하며 주위를 둘러보았다. 그리고는 궁금증을 이기지 못하고 그 액체를 입에 대고는 맛을 보았다.

그 순간, 그녀의 얼굴에 놀라움과 놀람이 섞인 표정이 번졌다. 액체는 달콤하고 고소한 맛이었다. 그녀는 머리를 다른 방향으로 갸우뚱하며 이 상황이 무슨 일인지를 생각하며 입속에 담긴 맛을 음미했다. 그녀는 자신의 몸에서 나오는 액체가 이렇게 맛있을 줄은 상상하지도 못했다.

금성의 여자는 순간 이동하여 에베레스트산에서 지구의 풍경을 바라보며 심여한 호기심으로 눈을 반짝였다. 그네에게 지구는 늘 새로운 경험이었고, 늘 모든 것이 궁금했다.

"지구에서 사는 건 정말 흥미롭네요." 그녀는 혼자 속삭이듯이 말했다. "여기서는 모든 것이 금성과 다릅니다. 공기의 냄새, 풍경의 아름다움, 그리고 사람들의 다양성…. 이 모든 것이 너무 신기하고 이해하기 어렵습니다."

그녀는 도시에서 공원으로 눈을 돌렸다. "지구의 모든 것이 왜 이렇게 다른 걸까요? 내 몸은 왜 고향과 이렇게 달라지는 걸까요?" 뱃속의 그 느낌은 더욱 강렬해졌고, 그녀는 그것에 사랑을 느꼈다.

뱃속에서 자신을 공격하는 신비로운 감정은 그녀를 놀라게 했지만, 동시에 따뜻하고 안전한 마음도 들었다. 그녀는 그 감정을 이해하지 못했지만, 자연스럽게 받아들였고, 뱃속의 살아있는 무언가와 깊은 감정을 키워나갔다. 그리고 때때로 짜증과 분노가 치밀어올랐지만, 언제나 그녀의 눈에는 부드러운 빛이 반짝이며, 입가에는 미소가 번졌다. 마침내, 깊은 감정은 자신의 몸 안에서 흐르는 느낌을 모두 사랑스럽게 받아들였고, 뱃속의 작은 존재에 대한 애정인 모성애가 조용히 자라나고 있었다. 무척 아름다운 순간이었다.

금성인 엄마는 반짝이는 결정들이 천장과 벽을 가득 채운 거대한 크리스털 동굴 안에서, 고통을 참고 있었다. 황금빛으로 반짝이는 고향 행성이 떠오르며 아주 특별한 순간을 맞이할 준비를 했다. 그녀의 배는 오로라처럼 빛났고, 곧 무언가 태어날 순간이 다가왔다. 그런데 그 옆에서 철없이 놀던 화성인 남자는 전혀 눈치 못 채고 장난을 쳤다.

이브: (진통을 참으며) "아, 이게 도대체 무슨 일이지? 뭔가 나오려는 것 같은데, 이게 이렇게 힘든 줄 몰랐어."

아담: (크리스털 조각을 가지고 놀며) "이브, 그게 나오면 크리스털 동력이라도 생기나? 금성에서는 출산할 때 초능력 생긴다고 하지 않았어?"

이브: (숨을 고르며) "아담, 제발 진지해져. 여기서 터미네이터라도 나올 기세야."
아담: (웃으며) "터미네이터? 그럼 그 물건의 이름을 아널드라고 짓자! 아니면 케이브도 괜찮겠는데?"

이브: (웃음을 참으며) "지금 그럴 때가 아니야. 나 진짜 아프다고!"

크리스털 지구에서는 의사나 병원이 필요하지 않았다. 출산은 신인류가 처음 겪는 현상으로, 각자가 자기 힘으로 해결해야 했다. 이브는 크리스털 동굴의 한가운데에서 힘을 다해 버텼다. 아담은 이브가 너무 고통스러워하자, 자신의 시계를 열어 독특한 장소로 이동했다. 이곳은 거대한 나무, '라이프트리'의 꼭대기에 피어 있는 빛나는 무수히 많은 꽃이 절정을 이룬 곳이었다.
이브: (빛나는 꽃 안에서 진통을 참으며) "이게 도대체 무슨 일이야? 배가 이렇게 아픈 건 처음이야."

아담: (웃으며) "꽃 속에서 태어나는 아이라…. 그럼 우리 아기를 '플로라'라고 부를까?"

이브: (숨을 고르며) "지금 그런 농담할 때가 아니야. 나 진짜 아파." (힘을 다해) "아아아!"

이브는 라이프트리의 꽃 속에서 진통을 참으며, 자신이 새로운 생명을 탄생시키는 순간, 꽃은 부드러운 빛을 발하며 그녀를 감싸 안았다.

아담: (꽃잎을 만지며) "이브, 이 꽃은 마법이 있는 것 같아. 나오는 뭔가도 마법처럼 환상적일 거야."

이브: (웃음을 참으며) "마법이라니, 진짜 그러면 좋겠다."

라이프트리의 꽃이 그녀를 부드럽게 안아주는 순간, 꽃 속에서 빛나는 생명의 기운이 지구의 바람을 타고 방방곡곡으로 흩어져 날아갔다. 이브는 계속 땀을 흘렸고, 아담은 막 흥분하며 꽃잎을 마구마구 흔들었다.

이브: (마지막 힘을 다해) "아아아!" (기쁨 속에서) "오, 드디어 나타났어!"
아담: (손뼉을 치며) "와, 이브! 네가 해냈어! 플로라가 나왔어!"
이브: (눈물을 닦으며) "플로라가 아니야! 하지만…. 그래, 우리가 해냈어."
아담: "그럼 이 생명체의 이름은 뭐야? 매직 베이비?"

아기의 울음소리가 나무 꼭대기에서 울려 퍼지자, 이브는 팔에 갓 태어난 아기를 안았다. 그녀는 땀을 흘리며 미소 지었고, 아담은 아직도 흥분하며 뛰어다녔다. 그곳은 웃음과 기쁨으로 넘쳐났다. 그녀는 힘들지만, 행복한 순간을, 그는 이 신나는 기분을 만끽하며 함께 새 생명을 맞이했다.

화성인 남자들과 금성인 여자들에서 사이에서 태어난 아기들은 눈부신 존재였다. 그들의 피부는 석양의 붉은 빛과 금성의 황금빛이 어우러져 황토색, 흰색, 검정으로 빚어낸 다양한 색을 가진 순두부 같았다. 어떤 아기는 동양인의 맑고 부드러운 살결을, 어떤 아기는 서양인의 밝고 빛나는 톤을 닮았다. 머리카락 또한 지구인의 다양한 색을 모두 담고 있었다. 머리카락은 불꽃처럼 짙은 갈색에서부터, 금성의 황금빛, 그리고 동양인의 검고 윤기 나는 머리카락, 서양인의 밝고 금발의 머리카락까지 여러 색이 나타났다. 아기들을 모아놓으면 각 색이 마치 예술가의 팔레트처럼 어우러져, 자연스럽고도 신비로운 느낌을 주었다.

눈동자는 깊은 밤하늘의 별처럼 반짝이고 있었으나, 자세히 들여다보면 눈동자의 색깔도 다양했다. 어떤 눈은 푸른 바다처럼 맑고 투명한 푸른색이었고, 어떤 눈은 깊은 어둠을 품은 검은색이었다. 또 다른 눈은 저무는 노을의 햇살처럼 아름다운 갈색 눈동자도 있었다. 이 모든 색이 조화를 이루며, 그들의 눈은 마치 무한한 가능성을 지닌 우주의 일부 같았다.

작고 섬세한 손가락과 발가락은 마치 조각상처럼 완벽한 형태를 이루었다. 피부는 부드럽고 포근하게 빛났으며, 미소는 보는 이를 매료시키는 마법 같은 힘을 지녔다. 아기들의 탄생은 단순한 한 생명을 뛰어넘어, 지구와 금성, 그리고 화성의 모든 아름다움과 다양성을 아우르는 새로운 존재를 알렸다.

아기의 두 번째 울음소리는 천둥 같은 강렬한 소리였다. 그 울음소리는 공기를 가르고 대기에 울려 퍼져, 금성의 평온함과 화성의 불안함을 동시에 담아냈다. 이 강렬한 울음소리와 함께, 지구의 하나였던 6개의 대륙이 조금씩 분리되기 시작했다. 아기의 탄생이 어떤 세계를 알리는 신호인 듯, 대륙들은 천천히 움직여 자신만의 공간을 찾아갔다.

울음소리는 그저 평범한 소리가 아니었다. 그 울음 속에는 강한 소유욕과 이기심이 담겨 있었다. 그의 눈동자는 이미 주변의 것들을 탐내는 듯, 번뜩이는 호기심으로 왕성했다. 아기의 손이 허공을 휘젓는 모습에서, 그의 내면에 깃든 강렬한 욕망을 엿볼 수 있었다. 그 욕망은 마치 한 번도 채워지지 않는 깊은 구덩이처럼, 계속해서 더 많은 것을 원했다.

그의 강렬한 소유욕은 과거 지구인들의 이기심을 떠올리게 했고, 평온했던 지구의 조화가 아기의 탄생으로 인해 조금씩 흔들렸다.

지구 여기저기서 XX 염색체와 XY 염색체의 결합으로 태어난 아기들은 신인류와는 다른 결함이 있었다. 태양이 뜨겁게 내리쬐는 어느 날, 다른 신인류 부모인 제이크와 엘라는 아기를 품에 안고 심해로의 여행을 떠났다. 신인류로서, 그들은 우주와 심해 어디서든 자유롭게 살 수 있었고, 아기도 마찬가지라고 믿었다.

엘라가 아기를 안고 제이크에게 미소를 지으며 말했다. "우리 아기도 이제 우리처럼 심해를 탐험할 수 있을 거야, 그치?"

제이크는 웃으며 대답했다. "당연하지, 엘라. 우리의 아기도 우리와 똑같이 심해의 아름다움을 느낄 수 있을 거야."

그들은 차원문을 열고, 심해 속으로 천천히 걸어 들어갔다. 눈 앞에 펼쳐진 심해의 세계는 아름답고 신비로웠다. 그러나 아기를 안고 있던 엘라는 뭔가 이상한 느낌을 받기 시작했다.

"제이크, 우리 아기 얼굴이 왜 이렇게 창백하지?" 엘라가 당황한 목소리로 물었다.

제이크는 엘라의 얼굴을 바라보며 대답했다. "그럴 리가 없는데…. 그냥 잠시 그런 게 아닐까?"

하지만 아기의 숨소리가 점점 더 불규칙해지자, 엘라는 급하게 아기의 얼굴을 들여다보며 불안한 눈빛을 그에게 보냈다. "제이크, 아기가 숨을 못 쉬는 것 같아!"

제이크는 아기의 상태를 확인하고 나서 급하게 말했다. "엘라, 빨리! 집으로 돌아가야 해!"

엘라는 눈물을 글썽이며 시계로 차원문을 다시 열었다. 집으로 돌아오자마자, 아기의 얼굴에 생기가 돌아오기 시작했다. 엘라는 아기를 안고 안도의 한숨을 내쉬었다. "제이크, 아기가 괜찮아졌어."

제이크도 안도하며 엘라를 감싸 안았다. "우리 아기는 심해나 우주에서 살 수 없는 것 같아. 우리와는 다르게 지구에서만 살 수 있는 것 같아."

엘라는 눈물을 흘리며 말했다. "우리 아기는 우리와 다르게, 지구에서만 살아야 하는구나. 우리는 이 아기를 사랑하고 보호해야 해."

제이크는 엘라의 손을 잡고, 아기를 보며 말했다. "맞아, 엘라. 우리 아기를 위해서라면 무엇이든 할 수 있어. 이 아기가 행복하게 자랄 수 있도록, 우리가 함께 노력하자."

그들은 새로운 시대의 표본이었고, 서로 다른 종의 사랑이 만들어낸 기적이기도 했다. 그리고 그들의 사랑은 멈추지 않았다.

어느 날 아기가 이브의 젖가슴을 만지며 이를 먹으려는 본능이 드러날 때, 그녀는 당황한 듯한 미소를 지었다. 부드러운 손으로 아기의 손을 감싸며 가슴에 가까이 끌어안았다. 그리고 애정 어린 미소를 띠며 아기의 입술을 천천히 가슴에 대 보였다.

아기는 그녀의 젖가슴을 발견하고는 손가락을 이용해 부드럽게 만졌다. 그리고 잠시 허공을 쳐다보더니, 가슴에 대고 있는 자신의 손을 바라보며 편안한 표정을 지었다. 그리고는 풍선처럼 불어 오르고 튀어나온 젖가슴을 입술로 더듬어 보았다. 그녀는 따뜻하고 부드러운 젖가슴에서 나오는 젖을 느꼈고, 아기는 안식처를 찾은 것처럼 만족한 미소를 띠었다.

엄마는 아기의 호기심에 미소를 짓고는 본격적으로 젖을 주기 시작했다. 아기는 자연스럽게 엄마의 젖을 받아들이며, 새로운 경험에 흥분한 듯한 눈빛을 내비쳤다. 아기는 갈증을 해소하기 위해 엄마의 젖을 더 갈구는 듯이 머리를 흔들었다. 젖을 빨며 아기의 안락한 모습을 보는 엄마는 미소를 지으며 아이를 사랑스럽게 바라보았다. 아기의 본능과 엄마의 자연스러운 책임감이 어우러진 특별한 순간이었다.

아기가 귀여운 얼굴로 똥을 싸기 시작했다. 그녀는 눈을 크게 떴다. "어…. 뭐야, 이거! 아기가 더러운 냄새가 나는 뭔가를 쌌어!"

아담: (웃음을 터뜨리며) "하하하, 이거 정말 신기하네! 금성에서는 아기들이 이런 걸 안 하니 놀랄 만도 해."

이브: (경악하며) "이게 정말 자연스러운 거야? 이게 너희 행성의 방식이야?"

아담: (어깨를 으쓱하며) "음, 화성에서는 예전에는 이런 일이 자주 있었어. 하지만 이제는 우린 알약과 4D 프린터로 식사를 해서 이런 배변 활동이 없지. 아마도 우리 종족은 진화한 거겠지? 근데 거꾸로 이 아기는 퇴화한 건가?!"

이브: (짜증 섞인 목소리로) "철 좀 들어, 아담! 지금은 그런 농담할 때가 아니야."

아담: "진정해. 아기니까 이런 일이 생기는 거야. 내가 해결할 방법을 생각해볼게."

이브: "정말, 생각해봐! 여기는 꽃 속이잖아! 이런 걸 치울 수가 없어!"

그는 상황을 해결하기 위해 금성의 정화 기술을 생각해냈다. 그리고 라이프트리의 에너지를 활용해 순식간에 작은 정화시설을 만들었다.

아담: (자랑스럽게) "봐! 이게 너희 금성의 기술이야. 이제 아기의 문제는 금방 해결될 거야."

이브: (감동받으며) "정말 해냈네. 그런데 아직도 철없는 너의 농담은 참을 수가 없어."

아담: (웃으며) "그래, 이브. 난 아기가 태어난 뒤로 여전히 너의 잔소리를 들었지. 하지만 우리 아기를 위해서라면 뭐든지 할게."

어설프지만, 그의 진지한 태도에 그녀는 웃음을 참을 수 없었다. 그리고 아담은 화성에서 자신이 평소에 먹던 식물을 떠올리며, 몸은 점점 작아지기 시작했다.

이브: "뭐야, 아담? 너 왜 이렇게 작아지고 있어?"

아담: "음, 우리 아기와 더 가까이 대화하려고. 그리고 내가 예전에 화성에서 식물을 먹었을 때와 비슷한 상황을 느끼고 싶었어."

그의 키는 아기 크기로 작아지면서, 아기 옆에 누워 작은 신생아와 마주 보았다.

아담: (작은 목소리로) "안녕, 작은 친구. 나는 너의 아빠야. 이게 너한테는 아주 낯설고 재미있는 세상이겠지만, 우리가 함께라면 뭐

듣지 할 수 있어."

아기: (웃으며) "응애…. 응애…."

아담: "너도 지금 좀 놀랐지? 화성에서는 우리도 똥과 오줌을 싸는데, 네가 여기서 이렇게 똥을 싸는 걸 보니 정말 신기해. 하지만 걱정하지 마. 내가 다 해결할 수 있어."

이브: "아담, 넌 정말로 아빠가 된 거야. 철 좀 들어야겠어. 하지만 이런 순수함이 가끔은 우리에게 활력이 되네."

화창한 어느 날, 크리스털 지구의 한 공원에서 또 다른 신인류 부모인 제임스와 릴리아는 갓 태어난 아기를 품에 안고 산책 중이었다. 그들은 화성과 금성에서 따로따로 온 신인류였지만, 지구에서 처음으로 부모가 되었다.

제임스는 아기를 바라보며 조심스럽게 말을 꺼냈다. "릴리아, 이 감정이 대체 뭐지? 화성에서는 노동력을 창출하기 위해 태어난 아이들을 이렇게 품에 안아본 적이 없었어."

릴리아는 아기의 작은 손을 잡으며 고개를 끄덕였다. "맞아, 제임스. 금성에서는 친구 같은 입장에서 대화를 나누는 게 전부였지. 하지만 이 아기를 안고 있으면…. 뭔가 따뜻한 감정이 느껴져."

제임스는 아기의 얼굴을 부드럽게 쓰다듬으며 말했다. "처음에는 이 감정이 낯설었어. 하지만 지금은 이해할 수 있을 것 같아. 아기를 보호하고 싶은 마음이 든다는 게 이런 거였구나."

릴리아는 눈물이 맺힌 눈으로 제임스를 바라보며 대답했다. "나도 그래, 제임스. 금성에서는 이런 감정을 느낄 기회가 없었어. 하지만 이 아기를 보면서 모성애라는 게 뭔지 알 것 같아."

제임스는 릴리아의 손을 잡고 아기를 함께 바라보았다. "우리 아기가 지구에서 자라는 동안, 우리가 이 감정을 잘 이해하고 키워야 할 것 같아. 모성애와 부성애라는 게 우리에게 생길 줄은 몰랐지만, 이제는 이 감정을 소중히 여겨야 해."

릴리아는 고개를 끄덕이며 말했다. "맞아, 제임스. 우리 아기가 안전하고 행복하게 자라도록, 우리가 최선을 다해야 해. 이 아기를 위해 좋은 부모가 되는 거야."

제임스는 릴리아와 아기를 품에 안으며 따뜻한 미소를 지었다. "우리의 인생이 이 아기를 통해 새로운 의미로 쓰이게 된 것 같아. 앞으로 우리가 이 아기를 위해 함께 노력하자."

릴리아는 아기의 작은 손을 부드럽게 쥐며 대답했다. "그래, 제임스. 우리 함께 이 감정을 소중히 여기며, 아기를 사랑으로 키우자. 지구에서 우리가 경험하는 이 모든 것이 우리를 더 나은 부모로 만들어줄 거야."

한편, 크리스털 지구의 정원 속, 아담과 이브는 아이를 돌보며 새로운 문제와 맞닥뜨렸다. 아기가 젖을 떼고 나서부터는 알약과 4D 프린터로 음식을 제공했지만, 아기는 자꾸 손으로 밀쳐냈다.

이브: "아담, 아기가 왜 이렇게 먹지를 않는 걸까? 모든 걸 다 해봤는데도…."

아담: "그러게. 4D 프린터로 만든 최고의 영양소를 아기가 왜 안 먹을까?"

이브: "혹시, 내가 임신했을 때 자꾸 피와 고기 같은 야만적인 음식이 먹고 싶었던 게 아기 때문이 아닐까? 그때 내가 느낀 갈망이 오직 나만의 감정이 아니었을 수도 있어."

아담: "뭐라고? 피와 고기? 그건 너무 야만적이잖아. 금성과 화성에서는 그런 걸 먹는 건 상상도 할 수 없는데…."

이브: (결연하게) "하지만 아기를 위해서라면, 우리가 할 수 있는 모든 걸 해야 하지 않아? 그게 무슨 수단이든지 간에…."

아담은 이브의 진지한 얼굴을 보며 깊은 고민에 빠졌다.

아담: "정말로 그렇게 해야 한다고 생각해? 우리가 그렇게까지 해야 할 정도로…."

이브: "난 엄마야. 아기를 위해서라면 뭐든 할 수 있어. 네가 잡아와. 내가 요리할게. 그게 우리 아기가 원하는 것일지도 몰라."
아담: (조심스럽게) "알겠어. 네가 그렇게 확신한다면, 가져올게. 하지만 이게 마지막이야. 우리의 문명에 어긋나는 일은 피하고 싶어."

이브: "알겠어. 나도 이해해. 하지만 지금은 아기를 위해서라면 뭐든지 해야 해."

아담은 마지못해 크리스털 정글로 나갔다. (작은 소리로) "이게 정말 맞는 걸까?" 그는 정글에서 큰 귀가 달린 작은 동물을 가져왔다. 이브는 임신했을 때 기억으로 익숙하지 않은 도구를 사용하며 요리를 시작했다.

마침내, 요리가 완성되었고 아기에게 뜨거운 고기와 피로 뒤섞인 음식을 호호 불면서 입에 넣어 주었다. 아기는 막 자란 이로 망설임 없이 음식을 해치우기 시작했다.

이브: (안도하며) "아기가 먹고 있어. 이게 맞는 방법이었어."

아담은 아기의 모습을 보며 미소를 지으려 했지만, 마음속 깊은 곳에서 자신이 두 번째로 저지른 야만적인 행동이 혐오감으로 솟아올랐다. 이브가 처음 임신했을 때, 피와 고기를 먹고 싶다고 찡얼거려 그녀를 위해 헌신했지만, 그때도 비슷한 불쾌감이 몸을 지배했다. 그는 화성인으로서 항상 자랑스럽게 여겼던 고도화된 윤리와는 반대로 행동하고 있는 자신을 혐오스럽게 느꼈다.

아담: "그래, 아기를 위해서라면 뭐든 할 수 있어. 하지만 앞으로는 좀 더 지혜로운 방법을 찾아보자."

한편, 에바는 해변 바위에 걸터앉아 있었다. 그녀의 주변은 조용하고 평화로웠으며, 지구의 투명하고 맑은 하늘이 끝없이 펼쳐졌다. 그리고 크리스털 지구를 바라보며 여러 생각이 머리를 맴돌았다.

금성인들은 피 흘리는 주기의 변화가 생겼다. 화성인과의 잠자리를 가진 금성인들은 1년에서 1달로 변했고, 금빛 피가 붉은색으로 변했다. 에바는 새로운 종족 생산 방식이 살짝 거슬렸다. 행여나 단단한 크리스털 지구가 깨질까 봐 살짝 걱정하던 중, 갑자기 그녀의 눈에 영롱한 바닷물결 사이로 빛나는 생명체들이 나타나기 시작했다.

이들은 심해에서만 볼 수 있는 독특한 생명체들이었다. 각자의 몸은 눈부신 광채를 띠고 있었고, 그들은 살아있는 보석처럼 반짝였다. 심해어들은 합창하듯, 일사불란하게 움직였다. 먼저, 가장 큰 심해어가 물 위로 뛰어올라 햇빛을 받은 찬란한 빛을 발하며 물속으로 다시 내려갔다. 그 뒤를 이어 다른 심해어들도 차례차례 물 위로 뛰어올랐다. 그들의 움직임은 매우 조화로웠고, 마치 물속에서 춤을 추는 듯했다.

에바는 그들의 움직임에 주목했다. 심해어들은 빛을 반사하며 에바의 주위를 돌았다. 그들의 몸에서 발산되는 빛은 다양한 색채로 변화했고, 에바의 눈앞에 오로라처럼 펼쳐졌다. 그중 한 마리의 심해어가 그녀에게 가까이 다가왔다. 이 심해어는 다른 이들보다 더 강한 빛을 발했다. 그녀는 심해어의 눈 속에서 무언가를 느끼고 그

것을 따라가려, 바위에서 일어나자 물방울 튀는 소리와 함께 그들은 서로의 몸을 부딪치며 화살표를 나타내는 특정한 패턴으로 헤엄쳤다. 에바는 심해어들이 보내는 신호를 이해하기 시작했다. 그들은 그녀를 바닷속 깊은 곳으로 인도하려는 것이 분명했다. 심해어들은 그녀가 따라오기 시작하자 더 강하게 빛을 발하며 안내했다.

물속에서 그녀를 감싸는 차가운 감촉과 심해어들이 만들어내는 따뜻한 빛은 특별한 감각으로 채워졌다. 빛이 거의 들지 않는 깊은 바닷속에서, 형형색색의 해양 생물들이 빛을 발하며 유영했다. 그곳은 고요한 수면 위와는 완전히 다른 분위기를 자아냈다. 심해어들은 에바를 인도하며 더 깊은 곳으로 이끌었다. 그곳으로 들어가자 이곳은 어둠 속에서도 생명력이 넘치는 장소였다.

에바의 피부에 닿는 물은 얼음처럼 차가웠다. 심해는 그녀를 환영하는 듯이 빛을 발하는 플랑크톤들이 그녀 주위를 둘러싸며 희미한 빛을 비추었고, 다양한 색채의 심해어들이 유유히 그녀 주위를 맴돌았다. 심해어들의 움직임은 마치 우아한 무용수들처럼 부드럽고 조용했다.

그녀는 곧 한 사내를 만났다. 바로 재욱이었다. 에바를 그를 바라보며 말했다. "너는 도대체 어떻게 살아남았니? 지구인의 냄새가 나. 그리고 영환 아저씨와 내가 죽인 과거의 나인 '엄마'의 냄새도 나."

재욱은 당황스러웠지만, 침착하게 에바에게 물었다. "나는 너를 처음 보는데, 너는 어떻게 나를 알고 있니? 그리고 '엄마'라니, 무슨 말이지?" 그리고 소름 끼치듯이 그녀의 머리를 보며 말했다. "네 머리는 앞으로 붉게 물들 거야. 그리고 펜던트를 알아봐야 해."

에바는 그의 말을 이해할 수 없었다. "펜던트? 네가 그걸 도대체 어떻게 알아?", "그리고 머리가 붉게 물든다니 무슨 소리야, 나는 화성인이 아니고 지구인이자 금성인이야!"

재욱은 그녀가 놀라는 것을 보며 침착하게 말했다. "너에게 처음 만났을 때, 무언가 특별한 목걸이가 있었던 것 같아. 어딘가에서 네가 그 목걸이를 지니고 다녔던 게 보였어."

에바는 재욱의 말에 혼란스러웠다. "무슨 소리를 하는 거야? 네 말은 못 들은 거로 할게."

재욱은 알 수 없는 미소를 지으며 말했다. "네가 진실을 찾기를 바란다."

4

기준

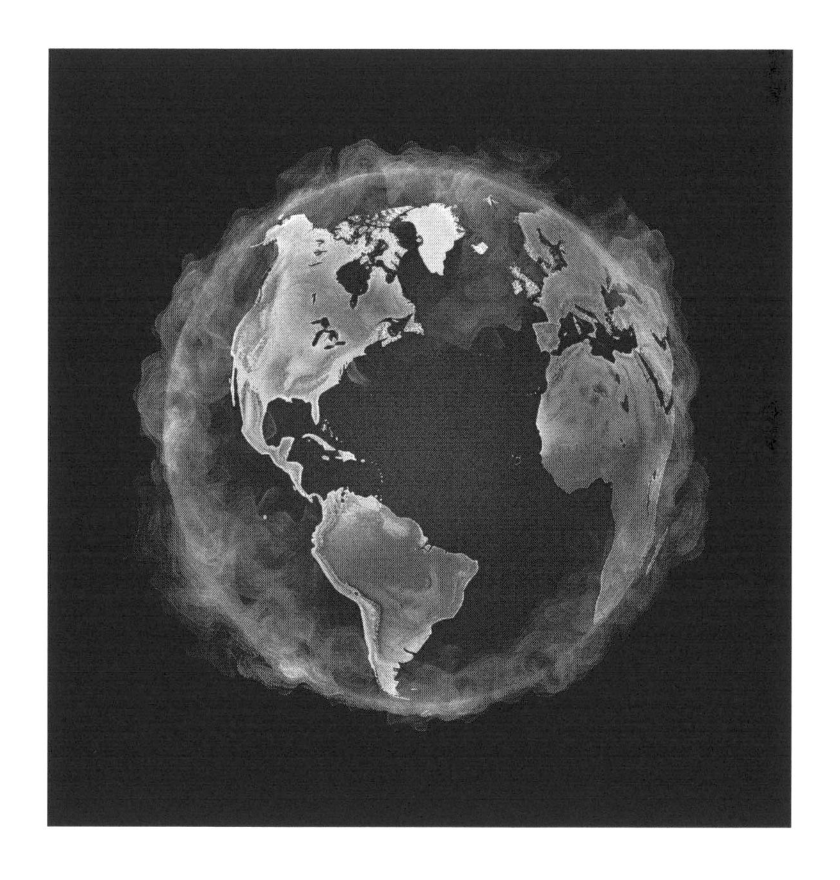

어느 화창한 날, 지구의 한 공원에 신인류의 아기가 태어나자 주변이 술렁거리기며 눈길이 모여들었다. 아기의 첫 울음소리가 곧장 사람들의 귀를 사로잡았다. 신인류들은 차원문 시계를 사용해 아기가 태어난 곳으로 몰려들기 시작했다.

문이 열릴 때마다 파란빛이 번쩍이며 시공간을 가르고, 각 행성에서 온 신인류들이 궁금함을 참지 못하고 하나둘씩 모습을 드러냈다.

화성인이 아기에게 다가가며 눈을 크게 뜨고 말했다. "이게 누구의 아기인가요? 정말 신기하네요. 어떻게 이렇게 작은 존재가 생명을 가질 수 있는지 궁금해요."

금성인은 아기의 작은 손을 보고 감탄했다. "손이 이렇게 작고 부드럽다니! 우리 행성에서는 이런 걸 본 적이 없어요. 마치 유리로 만든 것처럼 투명하고 깨끗해 보이네요."

아기의 주위로 몰려든 신인류들은 각자의 감탄사를 내뱉으며 웅성거렸다. 어떤 이들은 아기의 울음소리를 들으며 미소를 지었고, 어떤 이들은 아기의 작은 손과 발을 신기하게 바라보았다.

어떤 금성인이 조심스럽게 말을 꺼냈다. "여기…. 뭔가 퀴퀴한 냄새가 나는 것 같지 않아요? 혹시 아기에게서 나는 건가요?"

다른 신인류들이 고개를 갸웃거리며 주변을 살펴보았다. 지구에 너무 적응한 신인류들은 그 특유의 냄새를 잊어버린 듯했다. "예전에 이런 냄새를 맡아본 것 같기도 하고. 냄새도 아기의 영향일까요?"

아기를 안고 있던 부모는 살짝 당황했지만, 미소를 지으며 대답했다. "아기는 아직 모든 것에 적응 중이에요. 이 냄새도 그 과정의 일환일 거예요."

신인류들은 고개를 끄덕였다. 그들은 아기의 작은 손과 발을 부드럽게 만져보며, 생명의 신비로움에 감탄을 금치 못하면서도 속으로는 투명한 유리처럼 작은 몸이 부서지기도 할 것 같은 이상한 감정에도 휩싸였다.

"정말 놀라워요. 이렇게 작은 생명체가 자라서 우리와 같은 존재가 된다는 게 믿기지 않아요." 한 신인류가 말했다.

화성인이 아기의 얼굴을 보며 말했다. "이 작은 얼굴 속에 무한한 가능성이 숨겨져 있다니. 우리가 이 아이를 지켜보며 성장하는 과정을 함께 할 수 있다니, 행운이에요."

그들은 아기의 주변을 돌며, 서로의 생각을 나누고 웃음을 지었다.

아기는 그들 속에서 작고 소중한 존재로 인식되며, 또 다른 삶의 의미를 전했다. 그들은 아기의 작은 움직임 하나하나에 감탄하며, 생명체가 주는 신비함에 빠져들었다. 그리고 아기의 피부색, 머리색, 눈동자 색깔을 뚫어지게 쳐다봤다.

어떤 이들은 아기의 성별을 확인하고는 서로 간에 눈치를 주고받는다. 아기의 체중, 키, 그리고 머리둘레까지 측정되며, 아기의 가치를 측정하는 것처럼 보였다. 전 행성에서는 이렇게 무언가를 측정하고, 비교하고, 대조한 적이 없었던 그들에게 아기는 단순히 호기심 대상으로 보기 어려웠다.
일부 급성인 부모들은 아기의 탄생으로 경쟁이라는 새로운 단어도 등장했다. 어떤 부모들은 자신의 아이가 다른 아이보다 뛰어나게 자라길 바라며, 그들의 노력을 아낌없이 부었다. 이들은 자신의 아이가 다른 아이들보다 더 빨리 걷고 말하며, 더욱 똑똑하고 재능있는지를 열심히 확인하고는 서로에게 자랑했다.

한편으로는 자신의 아이가 다른 아이보다 우월하게 느껴져야만 자신도 승리를 거둔 것으로 여기는 이상한 감정에도 사로잡혔다. 금성의 엄마들끼리 모이는 자리에서, 한 엄마가 자신의 아이의 놀라운 발전을 자랑스럽게 말했다.

"우리 아이는 정말 빨리 걷고 말해요. 어제는 엄마의 이름까지 완벽하게 발음했답니다."

다른 엄마는 미소를 지으며 대답했다.

"우리 아이도 어제 처음으로 몇 개의 단어를 말했어요. 정말 기특하죠?"

그 순간, 다른 엄마가 가만히 있던 아이를 바라보며 말했다.

"우리 아기는 아직은 그렇게 빨리 말을 하지는 않아요. 하지만 그녀는 노래를 듣고 나면 음악을 따라 부르는데, 정말 신기하죠?"

그 말에 다시 미소를 지으며 엄마들끼리 서로의 아이를 칭찬하는 대화가 펼쳐졌다.

금성인 엄마: "우리 아이에게는 새로운 가르침이 필요해. 우리의 가치관을 전해주고, 전보다 훨씬 올바른 길을 인도해야 해."

화성인 남자: "하지만 그런 가르침이 너무 엄격하다고 생각해. 우리 아이에게는 자유로움이 필요해. 그들이 스스로 선택하고 배우는 것이 중요해. 아이가 자신의 길을 찾을 수 있게 해주자."

금성인 엄마: "하지만 우리가 그들을 보호하고 가르쳐줘야 한다고 생각해. 그렇지 않으면 미래가 어떻게 될지 모르니까."

아이들은 자유의지가 생기면서 점차 부모가 주는 알약을 다시 먹기 시작했다. 알약을 복용하며 몸이 점차 건강해지고 활력이 넘쳤다. 그러나 그들의 자유의지는 때로는 예상치 못한 방향으로 흘러가곤 했다.

아이들은 장난을 치고 싶어 한곳에 모였다. 그리고 크리스털 동물들을 첨단무기로 빨갛게 물들였다. 아름답고 투명한 크리스털 동물들이 붉은빛으로 물들어가는 모습은 아이들에게는 그저 재미있는 놀이에 불과했다. 재밌는 놀이가 끝나자 이내 몇몇은 이 동물들의 고기를 씹고 뜯고 즐기기 시작했다. 고기를 구워 먹으며 즐거워하는 아이들의 모습은 호기심과 자유의지가 극단으로 치닫는 상황이었다.

이 모습을 알게 된 아담과 이브는 큰 충격을 받았다.

아담과 이브는 아이들을 불러 조용히 타일렀다. "너희들이 무슨 짓을 한지 아니?" 이브는 얼굴이 붉어지며, "크리스털 동물들은 우리의 친구야. 이렇게 해서는 안 돼"

당황한 아이들은 그제야 자신들이 저지른 일이 잘못되었음을 깨닫기 시작했다. 그리고 아담과 이브도 고향을 떠나 처음으로 익숙지 않은 감정에 당황했다. 이것이 도덕과 법을 떠나 무엇을 의미하는지는 정확히 몰랐으나, 확실한 것은 평화를 깨는 일이었다. 크리스털 지구는 이제 각종 새로운 기준이 생겨나는 듯했다. 행동에 따른 선택이 결과가 온다고 알고 있는, 아담과 이브는 그들을 진지하게 바라보며 말했다.

"우리는 자유롭지만, 그 자유는 다른 생명체를 해치지 않는 범위 내에서 사용해야 해. 모든 생명은 소중하고, 존중받아야 해." 이것은 기준이 아니라 그들에겐 당연한 세상의 원리였다. 하지만, 아이들을 향한 찐한 부성애와 모성애가 지구의 기준과 도덕을 세우기 시작했다.

그들은 아기를 낳고 나서 자연스러운 본능으로 부모의 책임을 맡았지만, 쉬운 일은 아니었다. 남녀는 서로의 성격과 가치관에서 충돌했고, 다음으로 아이를 키우는 방법, 가정에서의 역할 분담 등 다양한 입장으로 의견이 맞지 않았다. 그래도 그들은 서로를 사랑하고 있었기에 이러한 어려움을 극복하고자 노력했다. 당연히 서로의 의견을 존중하고 타협하는 모습인 고향의 원리로 서로를 더 잘 받아들이고 존중하는 방법을 배워나갔다. 그리하여, 금성인 여성들 사이에서 모성애가 강한 일부는 첫째 아이에 이어 둘째 아이를 낳을 생각을 하곤 했다. 그러나 모든 여성이 같은 마음은 아니었다. 특히 아직 아이를 낳지 않은 여성들은 지구 아기의 쿰쿰한 냄새와 예상치 못한 폭력성과 강한 호기심을 떠올리며 망설였다.

크리스털 지구의 최첨단 연구소에서 신인류의 새로운 프로젝트가 시작되었다. 빛나는 크리스털 첨단 장비들로 넘쳐나는 연구소에서 연구원들은 투명한 홀로그램 스크린 앞에서 열심히 데이터와 설계도를 검토했다. 금성인 여성 연구원인 이네스가 회의 테이블 앞에서서 발표를 시작했다.

"우리가 개발하려는 피임 도구는 누구나 편리하고, 사용성이 우월할 것입니다." 홀로그램으로 설계도를 띄우며 설명을 이어갔다. "이 도구는 사용자의 신체 리듬과 호르몬 변화를 실시간으로 감지하여, 최적의 피임 효과를 발휘합니다. 또한, 사용자가 느낄 수 있는 불편함을 최소화하기 위해 나노 기술을 적용했습니다."

마침내, 첫 번째 시제품이 완성되었다. 이네스와 연구원들은 결과물을 테스트하기 위해 몇 명의 금성인 여성 자원자들과 함께 실험을 시작했다. 피임 도구는 몸에 착용하면 거의 느껴지지 않을 정도로 편안했고, 사용자는 자신의 신체 상태를 실시간으로 점검할 수 있었다. 테스트 결과는 성공적이었다. 금성인 여성들은 피임 도구를 사용해 남자와의 사랑을 나누면서도 원치 않는 임신을 방지할 수 있게 되었다. "이제 우리는 더 자유롭고, 안전하게 사랑을 나눌 수 있어요!" 이네스는 동료들과 함께 축하의 인사를 나누며 말했다. 그리고 크리스털 지구의 모든 여성이 이 도구를 사용할 수 있도록, 무한 생산과 빠른 배포를 할 방안을 마련했다.

또 다른 곳에서는 한 아이가 혁신적인 FPS 게임을 개발했다. 이 게임은 신경 인터페이스 기술과 증강 현실(AR)을 결합해 게임 속에서는 특별한 장비 없이도 눈앞에 전장이 펼쳐졌고, 손짓과 몸짓으로 게임을 조작했다. 이 폭력성이 짙은 게임은 친구들 사이에서 큰 인기를 끌었고, 많은 아이가 함께 즐기기 위해 모였다.

아이들은 첨단 게임 카페로 향했다. 초고속 퀀텀 네트워크와 AI 기반의 가상 환경을 제공해 현실과 가상을 넘나들며. 아이들은 신경 인터페이스를 통해 게임에 접속했고, 게임 속 캐릭터가 되어 직접 몸을 움직이며 전투를 벌였다. 게임 속에서 그들은 금성의 발달한 무기를 사용해 적들과 치열한 전투를 벌이며, 영화 속 주인공처럼 움직였다.

밤이 깊어지자, 부모들은 잔인한 게임을 계속하는 아이들이 염려됐다. 그래서 셧다운제를 발동했다. 엄마들은 스마트 렌즈를 통해 가정용 AI 시스템에 명령을 내렸다. "셧다운제 발동!"

즉시, 게임 카페의 모든 장비가 엄마들의 명령에 따라 작동을 멈췄다. 신경 인터페이스가 자동으로 해제되고, 게임 속 장면은 눈앞에서 사라졌다. 엄마들은 자녀들을 집으로 안전하게 귀가하라며. 시계를 사용하라고 텔레파시를 보냈다. 일부 시계가 없는 아이들을 위해 AI 드론은 아이들의 위치를 파악해 부드러운 빛을 비추며 길을 안내했다. "이제 집으로 돌아갈 시간입니다. 안전하게 귀가하세요." 드론의 목소리는 친절하고 따뜻했다. 나머지 부모들은 자율주행 차량을 이용해 아이들을 집으로 데려갔다. 자율주행 차량은 목적지까지 안전하게 이동하며, 차 안에서는 AI가 아이들에게 편안한 음악과 함께 휴식을 제공했다. 집 앞에서는 AI 가사 도우미가 아이들을 맞이했다. "어서 오세요, 이제 잠자리에 들 시간입니다." AI 도우미는 부드러운 목소리로 아이들에게 말하며, 방으로 안내했다. 그리고 아이들의 피로를 풀어주기 위해 마사지 기능도 제공했다.

아이들이 집에 도착하자마자 투정을 부리기 시작했다. 방으로 안내받은 후, 각자의 방에서 휴식을 취하며 AI 도우미의 마사지를 받는 동안에도 불만은 쉽게 사그라지지 않았다.

"엄마! 난 자유로워지고 싶어!" 큰소리로 외친 소영이는 짜증을 내며, 방에서 나와 거실로 향했다.
"재미있게 놀고 있는 걸 방해해?" 억울한 목소리로 말했다. 그녀는 팔짱을 끼고 엄마를 노려보았다.

엄마들은 침착하게 설명했다. "너희들이 늦게까지 그런 야만적인 게임을 하면 건강에 안 좋아. 쉬어야 할 시간이잖아."

"하지만 우리는 이제 애도 아니고, 우리도 우리만의 시간을 즐길 권리가 있어요!" 반발하며 말했다. "게임이 우리한테 얼마나 중요한지 아시잖아요. 이건 그냥 재미가 아니라 열정이란 말이에요."

"열정은 좋은 거야, 수빈아. 하지만 그 열정이 너희들의 건강을 해치면 안 되잖아." 엄마는 부드럽지만 단호한 목소리로 말했다. "너희들을 보호하는 것도 우리의 책임이야."

"왜 항상 기준을 만들어서 우리를 통제하려고 해요?" 발을 구르며 소리쳤다.

엄마는 한숨을 쉬었다. "이건 너희들을 통제하려는 게 아니야. 그저 너희들이 건강하고 행복하게 자라길 바라는 거야."

"자, 인제 그만 투정 부리고 침대에 누워. 내일 또 새로운 하루가 기다리고 있으니까." 엄마는 아이의 머리를 쓰다듬으며 말했다. "그리고 내일은 너희들이 원하는 활동을 할 수 있도록 시간을 충분히 줄게. 하지만 오늘은 잠을 자야 해. 그래야 내일 더 재미있게 놀 수 있잖아."

아이들은 투덜거리며 각자의 방으로 돌아갔다. 이 장면을 모두 지켜보던 에바의 몸에 돌던 금빛은 점차 붉은 빛으로 변하여 머리카락은 불꽃을 휘둘렀다. 그리고 불그레한 빛이 그녀의 피부에 비추어 얼굴은 뜨거워졌다. 입술도 마찬가지로 짙은 립스틱을 바른 듯 타오르는 화염 속 불기둥처럼 활활 타올랐다.

4-1 아기의 본성

아기가 아이로 자라며, 신인류와 다르게 폭력성이 두드러진 면모를 보인 것은 사냥뿐만 아니었다. 어린아이임에도 불구하고 순수함과는 거리가 먼, 어두운 본성을 드러내곤 했다.

어느 날, 아기는 부모들이 논쟁을 벌이는 걸 목격했다. 그 순간 그의 얼굴은 붉어지고, 눈동자는 증오의 불꽃으로 타오르며 눈빛은 불타는 악으로 넘쳐났다. 아이의 손은 주먹으로 꽉 쥐여 있었고, 얼굴에는 분노의 표정이 강하게 드러났다.

부모들의 논쟁이 고조되자 아이는 화를 폭발하며 부모들에게로 달려갔다. "그만해! 왜 이렇게 서로 공격하는 거야?" 그의 목소리는 높아지며 거칠어졌고, 맹렬한 분노가 그를 휩쓸었다. "왜 싸웠는지 그리고 무슨 일이 있었는지 알려줘!"

그의 큰 목소리는 주변의 이웃들에게까지 들렸고, 몸은 불안정한 에너지로 충만했다. 폭력적인 어두운 본성은 다치거나 위협을 받을 때 끓어올랐고, 그의 눈에는 증오의 불꽃이 타올랐다. 그 순간, 부모들은 그를 바라보며 당황했다. 아이의 폭력성은 부모들을 위협하며, 어두운 그림자의 본성을 밝혔다. 그 순간에 그들은 자신들이 어떤 아이를 낳은 것인지 두려움 속에 빠져들었다.

아이: "나는 내가 원하는 대로 살고 싶어! 내가 알아서 할게!"

부모: "우리는 너를 사랑하고 보호하기 위해 그런 거야. 세상에는 위험이 너무 많아."

아이: "하지만 너희가 너무 많이 관여하니까 나도 자유롭게 살고 싶어! 내가 원하는 것을 선택하고 싶어!"

부모: "너의 안전과 행복을 생각해서 그런 거야. 너는 아직 어려서 많은 것을 이해하지 못해."

아이: "나도 알아! 나는 내 삶을 살고 싶어. 너희는 나를 가두는 것 같아."

크리스털 지구의 일상이 점점 더 붉어지고 있었다. 지구의 풍요로운 환경 속에서도 인간의 추악한 본성은 다시금 고개를 들었다. 불그스름한 징조는 아이들 사이에서 벌어지는 작은 다툼에서도 나타났다.

아이들은 태어나면서부터 신인류보다 매우 강한 호기심과 함께 분노와 폭력성을 드러내곤 했다. 이 작은 생명체들은 탐구와 놀이를 통해 세상을 배우기보다, 서로를 해치고 파괴하는 방법을 먼저 배워갔다. 다이아몬드로 포장된 도로 위에서는 절도, 살인, 강간 등의 끔찍한 사건이 이따금 발생했다. 크리스털 지구는 넘치는 자원과 먹거리로 가득 차 있었지만, 도덕과 법이 존재하지 않는 사회에서 아이의 행동이 가져올 결과를 전혀 알 수 없었다.

어느 날, 크리스털 지구의 한 공원에서 아이들이 모였다. 그들은 분노와 혐오, 복수와 증오를 품고 있었고, 이 감정들은 점점 더 격렬해졌다. 다이아몬드처럼 단단한 지면 위에서 아이들은 서로를 향해 공격적인 눈빛을 보내며 무기를 들었다.

"넌 왜 그렇게 나를 미워해?" 한 아이가 다른 아이에게 소리쳤다.
"너는 나와 달라! 그래서 싫어!" 다른 아이가 대답하며 주먹을 휘둘렀다. 이 싸움은 그저 놀이가 아니었다. 아이들은 서로의 얼굴에 주먹을 향했다. 그들 내면 어딘가 깊은 곳에 자리 잡은 불씨는 시기와 질투, 미움과 증오로 싹을 틔웠다.

도덕과 법, 선악의 기준조차 모르는 신인류들은 이 사건들을 내버려 뒀다. 그들은 자신의 행성에서는 이런 기준이 없었기 때문에, 아이들의 행동을 제지할 필요성을 느끼지 못했다. 그러나, 일부 부모들은 모성애가 발동해 이러한 상황에 경각심을 느끼기 시작했다. 몇몇은 이 상황을 더는 방관할 수 없었다. 그들의 본능적인 보호 욕구가 분출되면서 사건은 크게 번졌다.

한 다이아몬드 광장에서는 아이들이 서로를 향해 날카로운 눈빛을 보내며 싸움을 벌였다. 그들은 주먹을 휘두르고, 발로 차고, 서로를 밀어붙이며 거친 싸움을 이어갔다.

"왜 저렇게 싸우는 거야?" 한 신인류 부모가 당황한 목소리로 물었다.

"그냥 놔둬요. 저게 그들의 방식일 뿐이에요," 다른 신인류가 무심하게 대답했다. 그러나 모성애가 발동한 한 신인류 여성은 더 참을 수 없었다. 그녀는 아기가 첫울음을 터트렸을 때 느꼈던 그 강한 보호 본능이 지금 아이들을 바라보며 다시 솟구쳤다.

"이대로 놔둘 수 없어요! 저 아이들이 다치고 있어요!" 그녀는 외치며 싸움을 말리러 달려갔다. 그녀의 남편 역시 처음에는 혼란스러워했지만, 아내의 절박한 눈빛을 보고 그도 아이들을 보호해야 한다는 책임감을 느꼈다. 그는 아내를 따라갔다.

"그만해! 제발 그만둬!" 그녀가 외치며 두 아이 사이에 몸을 던졌다. 아이들은 순간 멈칫하며 어른들을 바라보았다. 싸움에 몰두하던 그들의 눈빛에는 혼란과 분노가 섞여 있었다.

"왜 우리가 싸우지 말아야 하죠?" 한 아이가 물었다. "우리는 그냥 우리 방식대로 하는 거예요."

"하지만 이건 잘못된 거야," 그녀는 떨리는 목소리로 말했다. "서로를 다치게 하는 건 옳지 않아. 우리는 서로를 사랑하고 보호해야 해."

이 말을 들은 다른 신인류 부모들도 하나둘씩 아이들 쪽으로 다가갔다. 그들은 처음으로 아이들의 행동에 개입하며, 보호자의 역할을 자각하기 시작했다. "우리는 너희들을 사랑해," 한 아버지가 말했다. "그리고 사랑하는 사람을 다치게 해서는 안 돼."

한편, 에바는 이러한 사태를 보며 혼란스러웠다. "왜 이런 일이 벌어지는 거지? 자원이 풍족하고, 먹을 것이 넘쳐나며, 모든 의식주가 해결되었는데, 왜 아이들은 이렇게 싸우는 걸까?" 그녀는 이해할 수 없었다.

점점 더 많은 아이가 싸우기 시작했고, 크리스털 지구는 폭력으로 물들어갔다. 전투를 지향하지 않는 신인류들은 이 상황을 막기 위해 애썼다. 한 신인류 부모가 싸우는 아이들에게 다가가며 말했다. "그만둬! 이런 식으로 싸워서는 안 돼. 우리는 평화롭게 살아갈 수 있어." 하지만 아이들은 그의 말을 듣지 않았다. "왜? 우리가 이렇게 싸우는 게 뭐가 잘못된 거야? 피가 끓어올라!" 한 아이가 반박했다. 부모는 절망적인 눈빛으로 아이들을 바라보았다. "우리는 서로를 존중하고 이해해야 해. 폭력은 아무것도 해결하지 못해." 아이들은 잠시 멈칫했지만, 곧 다시 싸움을 시작했다. 그들의 마음속 깊은 곳에는 폭력과 증오가 뿌리내려 있었고, 그 감정은 쉽게 사라지지 않았다.

크리스털 지구는 점차 붉음에서 시뻘건 적색으로 농도가 진해졌다. 그들은 서로가 다른 피부와 눈동자의 색을 가졌다며 싸웠다. 작은 다툼이 일어나는 곳마다 긴장감이 흘렀다.

한 무리의 아이들이 다이아몬드로 뒤덮인 공원에 다시 모였다.

"우리는 왜 서로 싸우고 있는 걸까?" 한 아이가 물었다. "우리끼리 싸워봤자 아무 소용없어."

신인류는 비폭력적이고 조화로운 방식으로 지구를 보호하고 있었지만, 아이들은 그들만의 독특한 생존 방식을 지키려 했다. 신인류의 기술과 가치관은 아이들에게 낯설고 이해하기 어려운 것이었고, 그로 인해 불안과 불신이 생겨났다.

아이들이 한곳에 모여 이야기를 나눴다. 그들은 크리스털 동물들을 빨강으로 물들이고 그 고기를 뜯고 즐기며 재미를 느끼던 기억을 떠올렸다. 그러나 그 행위가 신인류에게 적발되었고, 그들은 경고를 받았다. 그때부터 아이들은 신인류가 우리의 자유를 짓밟는다고 생각했다.

"우리는 더는 이렇게 살 수 없어," 한 아이가 말했다. "저들은 우리를 이해하지 못해. 우리를 계속 억누르고 있어."

다른 아이가 동의하며 말했다. "맞아. 우리는 같은 곳에서 태어났고, 같은 환경에서 자랐어. 하지만 저 밖에 있는 신인류들은 우리와 다르잖아." 그들의 시선은 이제 자연스럽게 외부의 신인류를 향했다. 이내 그들의 목표는 내부의 적이 아닌, 외부의 적으로 돌리자는 한 아이의 주장이 다수에게 먹혀들었다. 그들은 이번에는 신인류를 타깃으로 삼아 작당을 모의하고 공격했다.

"우리가 힘을 합친다면, 저들을 이길 수 있어!" 한 아이가 외쳤다. 그의 말에 다른 아이들도 고개를 끄덕였다.

그들은 계획을 세우기 시작했다. "저쪽 신인류들은 우리보다 키가 크고, 힘도 세. 하지만 우리는 더 빠르고 영리해."

"그래, 우리가 협력하면 저들을 충분히 이길 수 있을 거야. 각자 맡은 역할을 잘 해내면 돼." 아이들은 서로의 역할을 나누고, 작전을 세웠다. 그들의 눈빛에는 결의와 잘못된 단합의 의지를 뿜어냈다. 아이들이 신인류를 공격한 이유는 단순히 재미나 흥미를 넘어, 자신들의 정체성과 자유를 지키기 위해, 그리고 억압당하는 느낌에서 벗어나기 위해 싸워야 한다고 믿었다.

신인류의 평화로운 방식이 아이들에게는 그저 또 다른 형태의 억압으로 느껴졌다. 그들은 각자의 역할을 나누고, 작전을 더욱 치밀하게 세분화했다. "나는 정찰을 할게. 저쪽 신인류들의 움직임을 살펴보겠어," 한 아이가 말했다. 그의 말에 다른 아이들도 각자 자신의 역할을 맡았다. "나는 함정을 만들게. 그들이 오면 바로 걸리게 할 거야," 또 다른 아이가 말했다. 놀이 공간은 전투 계획을 짜는 전쟁터처럼 변해갔다.

작전이 시작되기 전, 그들은 마지막으로 서로를 다독였다. "우리는 하나야. 함께라면 무엇이든 할 수 있어." 이 순간 아이들은 처음으로 공동의 목표를 위해 단합했다. 그들은 자신들의 차이를 잠시 잊고, 외부로 적을 돌렸다. 마치 과거 지구 지도자들이 내부의 갈등을 외부의 적으로 돌려 국민을 단합시키는 모습과 꽤 닮았다. 외부의 적을 향해 돌진하는 아이들의 모습은 그들의 불안과 두려움을 덮기 위한 것이었다.

작전이 시작되었다. 그들은 빠르고 조용하게 움직이며 외부의 신인류를 향해 다가갔다. 그들의 눈빛은 결연했고, 움직임은 은밀하고 신속했다.

"저쪽이다!" 한 아이가 외쳤다. "저 신인류들을 목표로 하자!"

그들은 단결된 힘으로 외부의 신인류에게 다가갔다. 장난으로 시작된 아이들의 단합된 힘은 다소 잔인하고 폭력적이었다. 그들은 단, 하나의 목표를 위해 움직였다.

크리스털 지구의 영롱한 여명 속에서, 신인류와 아이들 간의 충돌은 어둡고 치열한 전쟁으로 점점 변모했다. 신인류는 평화와 조화를 지키기 위해 싸웠고, 아이들은 본능적으로 잔혹함과 힘의 논리를 따라갔다.

다이아몬드 숲의 중심에 있는 대형 광장에서, 소형 전투가 시작되었다. 신인류의 무음 제거 장치가 작동하며, 아이들을 소리 없이 분해했다. 공기가 찰나의 파동으로 일렁이며, 아무런 소리도 남기지 않고 사라졌다. 그들의 목적은 최소한의 피해로 전투를 끝내는 것이었다. 또 심리적 억제 필드를 펼쳐 전장을 안정시키려 했다. 필드 안에 들어온 아이들은 순간적으로 혼란스러워졌고, 그들의 공격적인 충동은 억제되었다. 그러나 아이들은 곧 필드의 영향에서 벗어나 더 강하게 저항했다. 그들은 전자기 폭탄을 사용해 필드를 무력화시키고, 신인류의 방어를 뚫으려 했다. 폭탄이 폭발하면서 강력한 전자기 충격파가 퍼져나갔고, 신인류의 보호막이 일그러지며 깨어졌다.

아이들은 잔인한 본능을 숨기지 않았다. 플라스마 캐논이 하늘을 가르며 뜨거운 빛과 함께 발사되었고, 그 빛은 신인류를 태워버리며 주변의 모든 것을 불타오르게 했다. 아이들은 환호성을 지르며 파괴의 쾌감을 즐겼다.

"이대로 놔두면 안 돼!" 한 신인류 전사가 외쳤다. 그는 나노 치료 드론을 호출해 부상자를 치료하며, 전열을 재정비하려 애썼다. 드론들은 빠르게 움직이며 상처를 봉합하고, 생명을 지켜냈다. 그러나 그들의 노력은 잔인한 아이들의 무자비한 공격으로 끊임없이 위협받았다.

"너희는 여기서 모두 사라져야 해!" 아이들의 리더가 외쳤다. 그는 바이오 웨폰을 꺼내 들었다. 이 무기는 신인류의 몸에 치명적인 바이러스를 주입하여 그들의 방어를 무너뜨렸다. 바이러스는 신인류의 신체를 빠르게 침투하며 파괴했고, 그들은 고통 속에서 쓰러졌다.

신인류도 포기하지 않았다. 그들은 광자 보호막을 강화하여 마지막 방어선을 구축했다. 보호막은 고에너지 입자로 형성되어, 모든 물리적 공격을 막아내며 외부의 방해 신호를 차단했다. 그들은 차분히 대응하며, 적을 비폭력적으로 무력화시키기 위해 최선을 다했다.
"텔레포트 그레네이드를 던져!" 아이들은 새로운 전략을 시도했다. 그레네이드는 특정 위치에 던지면 반경 내 모든 물체를 순간 이동시켰다. 그레네이드가 폭발하면서, 신인류 전사들은 혼란에 빠져 서로 다른 위치로 흩어졌다. 그들은 방어를 재정비할 틈도 없이 공격받았고, 전장은 혼돈 속에 빠졌다.

신인류의 한 부모가 절박한 목소리로 외쳤다. "제발 그만둬! 우리는 평화롭게 살 수 있어!"

그들은 자신들과 다른 피부와 색을 가진 내부의 적을, 외부의 적으로 돌리며 다소 난해한 협력을 배웠다. 그들의 눈에는 광기가 서려 있었고, 그 광기는 점차 전장을 시뻘겋게 물들였다.

4-2 신인류와의 충돌

에바는 온갖 곳에서 게릴라 전투가 일어나자 혼란 속에서 빠르게 움직였다. 주변의 폭발과 파편, 빛의 섬광들이 그녀의 시야를 혼란스럽게 했다. 그녀는 잠시, 심해로 피신하여 들어갔다. 그곳은 안전한 피난처였고, 그와 만남이 기다리고 있었다.

물속으로 뛰어들자, 심해의 차가운 물이 그녀를 감쌌다. 심해는 고요하고 어둡지만, 그녀에게는 친숙했다. 바위틈 사이로 빠르게 움직이며, 그녀는 재욱이 기다리고 있을 장소로 향했다. 그는 이미 그곳에서 기다렸다.

"펜던트는 찾았어?" 재욱이 그녀에게 물었다. 그의 목소리는 물속에서도 또렷하게 들렸다.

"아직 아니야," 에바가 대답했다. 그녀는 짧게 숨을 고르며 말했다, "상황이 복잡해졌어. 우리가 세운 문명이 아이들로 파괴될 거야."

한껏 고조된 긴장감 속에 재욱은 고개를 끄덕였다. "핵보다 훨씬 강력한 무기가 사용되고 있어. 우리가 이 상황을 해결하지 않으면 모든 것이 끝나버릴 거야."

에바는 재욱의 말에 동의하며, 금성의 유물로 가서 과거로 돌리기로 했다. 시간차원문을 열기 위해 유물에 손을 댔다. 하지만 그 유물은 역시나 열리지 않았다.

"우린 다시 과거로 돌아갈 수 없어," 에바가 혼잣말로 중얼거렸다. "이 전투를 끝내기 위해선 스스로 변해야 해. 어떻게 해야 하지"

재욱의 말을 곰곰이 생각해보니, 그의 말에 뼈가 있다고 느끼고, 지구로 갈 때 버렸던 펜던트가 머리를 쓱 하고 스쳐 지나갔다.

펜던트는 금성의 광활한 금빛 사막 한가운데, 신비로운 연못 옆 작은 단 위에 고요히 놓여 있었다. 연못은 금성의 황금빛 하늘을 반사하며 빛났고, 그 물결은 바람에 흔들리며 은은한 파장을 만들어냈다. 연못 주위는 고요했다. 이곳은 금성 전설에 따르면 신성한 장소였다.

에바가 다가가자, 펜던트는 보석처럼 빛을 반사하며 주변을 환하게 비추었다. 이 작은 물건이 지닌 힘을 몰랐으나, 다시 보는 것만으로도 신비함에 몸서리쳤다. 세월이 지나 벗겨진 펜던트의 중심에는 고대의 문양이 새겨져 있었고, 이는 지구인의 언어로 '운명'이라 적혀있었다. 그녀는 벗겨진 펜던트를 손에 들고, 전에 보지 못한 문양을 느끼며 무엇을 상징하는지 고민했다. 손길이 닿을 때마다 펜던트는 미세하게 반응하는 듯, 희미한 빛을 발산했다. 눈을 비비며, 펜던트를 다시 바라보니, 그녀의 눈에는 어느새 눈물이 고였다.

그 고대의 문양은 과거 지구에서 본 "라감의 영혼…?." 에바는 떨리는 목소리로 중얼거렸다. "그것이 존재한다는 것을…. 왜 이제야 알게 된 걸까?"

희미한 빛을 내던 펜던트가 손에서 따스한 빛을 발할 때, 그녀는 그 속에 담긴 영혼이 자신이 아니라 진짜 엄마였음을 깨달았다. 그녀의 심장은 조여들 듯 아팠다. 문양을 어루만지며, 자신이 진짜 엄마를 죽였다는 사실을 깨닫는 순간, 그녀는 자신이 저지른 행위의 무게를 온몸으로 느낄 수 있었다. "어떻게 내가 그런 끔찍한 일을 저질렀을까?" 에바는 펜던트를 꼭 쥐며 계속해서 자신에게 물었다. "나는 그저 진리를 찾고자 했을 뿐인데, 그 과정에서 가장 소중한 사람을 잃어버리다니."

"엄마…." 에바는 절망에 찬 목소리로 외쳤다. "라감, 내가 아닌…. 그녀는 진짜 엄마였구나." 그녀의 눈에서 뜨거운 눈물이 쏟아져 나왔다. 엄마를 제대로 이해하지 못하고, 그녀의 진정한 의미를 알지 못했던 자신을 자책했다. 그녀는 무릎을 꿇고 펜던트를 가슴에 끌어안고 오열했다.

"엄마, 제가 얼마나 어리석었는지 이제야 알았어요…." 그녀는 흐느끼며 속삭였다. "왜 당신의 희생을 깨닫지 못했을까요?"

에바의 마음속에서는 복잡한 감정들이 소용돌이쳤다. 혼란, 슬픔, 그리고 깊은 죄책감이 그녀를 휘감았다. 그리고 펜던트를 통해 전해지는 엄마의 따뜻한 기운이 점차 느껴졌다.

"왜, 왜 저는 엄마를 죽였을까요?" 자책하며 말했다. "내가 더 빨리 깨달았다면…."

그녀는 펜던트를 손에 꼭 쥐고, 엄마의 마지막 순간을 떠올렸다. 엄마가 그녀에게 남긴 사랑과 희생이 얼마나 큰 것이었는지를 이제야 알게 된 것이다. 에바는 엄마의 사랑을 느끼며 더욱 크게 오열했다." 엄마, 당신의 희생이 헛되지 않도록 제가 무엇을 해야 할까요?" 에바는 흐느끼며 물었다. "어떻게 해야 당신의 사랑을 기릴 수 있을까요?" "이 펜던트가 단순한 기억의 조각이 아니라, 진정한 정체성을 담고 있었다니."

엄마의 따뜻한 미소, 그녀의 품속에서 느껴지던 안정감, 그리고 그 모든 것을 파괴한 자신의 손길.

"나는 어떻게 이 고통을 감당해야 할까?"

에바는 무릎을 꿇고, 한참 동안 눈물을 쏟았다. 펜던트는 그녀에게 엄마의 영혼이 여전히 함께하고 있음을 보여줬다. 그녀는 펜던트를 꼭 쥐고, 결심을 다졌다. 그녀는 엄마의 사랑과 희생을 기리기 위해, 지구를 붉게 만드는 운명을 서둘러 바꾸고 싶었다.

에바는 눈물을 닦고, 결연한 표정으로 일어섰다. "엄마, 제가 해낼게요. 당신의 영혼이 저와 함께하니까요." 그리고 펜던트를 목에 걸었다. 그리고 펜던트 속의 사진을 바라보았다. 그러자 깜짝 놀랐다.

심해에서 재욱의 실물을 보고, 에바는 비로소 그가 펜덴트 사진 속의 한 명이라는 사실을 알았다. 펜던트는 바로 라감의 영혼을 지닌 사람들을 나타낸 것이었고, 사진 속의 인물이 아빠 프랑크에서 낯선 사람으로 바뀐 것도 그 이유였다. "내가 몰랐던 거구나," 에바는 자신에게 말했다. "아빠가 아니라, 재욱이었어. 그리고 라감이라는 이름은 실제로 우리 엄마였다고!" 라감의 영혼은 엄마에게서 재욱으로 넘어간 것이었다. 라감이라는 이름을 쓰는 엄마는 고대부터 지구를 지켰으나, 에바가 당시 엄마를 만났을 때는 그 임무를 알지 못했다. 단지 영혼의 이동이 그녀에게서 아들로 우연히 일어난 것뿐이었다.

그녀는 할아버지와 할머니가 지어준 엄마의 이름, '라감'을 떠올렸다. "할아버지와 할머니가 왜 엄마의 이름을 라감으로 지었을까?" 에바는 속삭였다. "라감은 이름이 아닌 '나'를 뜻하는 무언가라고 생각했는데, 그 이름이 엄마의 운명을 결정짓게 될 줄은 몰랐어."

에바는 한숨을 내쉬며, 펜던트를 손에서 내려다보았다. "라감이라는 이름은 그저 교묘한 우연이었어. 특별한 의미나 계획이 담긴 게 아니었지. 할아버지와 할머니가 그저 좋아서 지어준 이름이었을 뿐인데, 그 이름이 과거엔 엄마를 그리고 지금은 나를 '라감의 영혼'이 연결짓고 있어."

에바는 눈을 감고, 어린 시절의 기억을 떠올렸다. 할아버지와 할머니가 엄마의 이름을 불러주었을 때, 그들의 따뜻한 미소와 사랑이 담긴 목소리. "그저 우연이었을 뿐인데," 그녀는 다시 한번 속삭였다. "그 우연이 나와 엄마의 삶을 이렇게 바꿔놓을 줄은 몰랐어."

에바는 하늘을 올려다보았다. "어쩌면 이 모든 것은 신의 뜻일지도 몰라. 우연처럼 보이는 모든 것들이 사실은 큰 계획 속 일부일지도 모르지. 라감의 영혼이 나에게 온 것도, 그저 우연일 뿐인 줄 알았는데, 어쩌면 그 우연 속에 신의 뜻이 숨어있을지도."
그녀는 자신의 운명을 받아들이기로 하며, 펜던트를 가슴에 품었다. "우연히든, 신의 뜻이든, 나는 이 이름을 가지고 앞으로 나아갈 거야. 라감의 영혼들과 함께, 이 길을 걸어갈 거야."

에바가 다시 유물에 손을 대자, 이번에는 시계에서 빛이 뿜어져 나왔다. 그리고 옛날과 같이 동그란 푸른 차원문과 붉은 차원문이 열렸다. 발걸음을 재촉해 들어갔다. 푸른 차원문을 들어가니, 과거로 돌아와 영환을 만났다. 에바는 붉은 화성의 거친 대지 위에 있는 중앙 돔으로 순간 이동했다. 영환은 홀로그램으로 에바에게 메시지를 보내고 누워 있었다.

문을 열고 들어서자, 침대에 누워 있는 그의 모습이 눈에 들어왔다. 병에 걸려 얼굴이 창백했고, 숨소리조차 가늘고 힘겨워 보였다.

에바는 그의 곁으로 다가가며 조심스럽게 손을 잡았다. "아저씨, 내가 왔어요. 당신이 말하려던 것이 대체 무엇이었나요?"

영환은 힘겹게 눈을 뜨고 에바를 바라보았다. "에바, 네가 여기를 지금 올 줄은 몰랐어. 아니, 어떻게든 네가 올 줄은 알았지. 다만, 내가 이렇게 빨리 끝을 맞이하게 될 줄은 몰랐어."

에바는 그의 손을 꼭 잡으며 애타게 물었다. "아저씨 무슨 말을 하려 했죠? 그 깨달은 중요한 점이 뭐였는지 알고 싶어요."

영환은 숨을 가쁘게 쉬며 말했다. "행동에 따른 결과만 오려면 모든 소유욕과 욕망과 분노 등 지구에서 악이라고 칭하던 것들을 불편함 없이 추구해야 하는 문명의 발달이 필요해"

그는 과거에서 힘의 논리가 단 하나라고 외치고, 라감을 괴롭히며 깨달았다. 그리고, 선악이 없고 법과 도덕이 없는 중도의 길을 걸으려, 화성으로 향했다. 그러나, 본인의 철학만으로는 인간의 본성을 억제하지 못해 화성은 발전할 수 없었다.

영환의 말을 들은 에바는 그에게 조언을 구했다. "지구는 이미 크리스털 지구에요. 금성의 문명을 갖고 와서, 자원이 넘치고 에너지도 풍부해요. 먹을 것도, 잘 곳도, 입을 것도 많은데 결국, 멸망 직전에 있어요. 이 상황을 해결할 방법은 없을까요?" 에바가 물었다.

영환은 깊은 한숨을 내쉬며 말했다. "시간을 되돌리는 것만으로는 해결할 수 없는 문제가 있어. 해결책은 인간의 본성 중 무언가를 억제해야 중도의 길로 갈 수 있을 것 같아."

"그 무언가를 알 수 없을까요?" 에바가 물었다.

그는 고개를 저으며 말했다. "나도 정확히는 몰라. 하지만, 중도의 길을 걷기 위해서는 진화가 필요해."

영환은 힘겨움 속에서도 미소를 지으며 다시 설명했다. "세상은 누군가가 모든 것을 조종하는 단순한 시스템이 아니야. 상황에 따라 수많은 경우의 수가 발생하고, 우리는 그것을 모두 예측할 수 없어. 신이 있다면 모를까."

이해가 안 된다는 그녀의 표정을 보고 다시 말했다. "결국, 우리가 진화하려면 라감의 영혼을 지닌 사람들이 많아야 해. 그래야, 우리는 기준이라는 법과 도덕이 없더라도 완벽한 중도의 길을 걸을 수 있지."

한편, 지구에는 거대한 전투의 장이 펼쳐졌다. 하늘에는 무인 드론과 첨단 비행체들이 날아다니고, 지상에서는 양측의 군대가 대치했다. 신인류는 평화로운 해결을 원했지만, 그들의 아이들은 무자비한 공격을 감행했다.

"이렇게 싸우면 안 돼!" 신인류인 아담이 외쳤다. "우린 폭력 없이 해결할 수 있어."

하지만 그의 아들인 루카스는 냉정한 표정으로 말했다. "우린 지구를 지키기 위해선 강해져야 해. 폭력 없이 지킬 수 있는 세상은 끝났어."

루카스는 첨단 레이저 무기를 들어, 적의 진영을 향해 발사했다. 눈이 부신 빛과 함께 적의 방어막이 무너졌고, 신인류는 고통 속에 하나둘씩 쓰러졌다.

"우린 평화를 원해!" 이브가 눈물 어린 목소리로 말했다. "이렇게 싸우면 우리도 과거의 지구인들과 다르지 않아."

신인류의 무기

1. 무음 제거 장치

신인류의 대표적인 무기 중 하나인 무음 제거 장치는 표적을 조용히 사라지게 만든다. 이 기술은 표적의 물리적 존재를 비물질화하여 소리 없이 제거하는 방식으로, 적에게 아무런 고통을 주지 않고 제거한다.

2. 심리적 억제 필드

이 무기는 전투 지역에 심리적 안정감을 주는 필드를 생성한다. 필드 안에 들어온 적들은 공격적인 충동을 억제당하며, 전투 의지를 상실하게 된다. 이 기술은 적을 무력화시키는 동시에, 인명 피해를 최소화하는 데 중점을 둔다.

3. 광자 보호막

광자 보호막은 고에너지 입자를 사용해 방어막을 형성한다. 이 방어막은 물리적 공격뿐만 아니라 에너지 기반의 공격도 막아내며, 동시에 외부의 방해 신호를 차단하는 기능도 갖추고 있다.

4. 나노 치료 드론

작고 미세한 나노 드론들은 전투 중 상처를 입은 아군을 즉각적으로 치료할 수 있다. 드론은 상처 부위를 스캔하고, 필요한 치료를 실시간으로 수행하여 부상자의 생명을 지킨다.

아이들의 무기

1. 플라즈마 캐논

플라즈마 캐논은 고온의 플라즈마를 발사하여 적을 비통 속에서 소멸시킨다. 이 무기는 엄청난 파괴력을 지니고 있어, 적의 방어막을 뚫고 내부 구조까지 파괴할 수 있다. 발사 시 눈이 부신 빛과 함께 주변이 불기둥으로 불타오른다.

2. 전자기 폭탄

전자기 폭탄은 강력한 전자기파를 방출하여, 전자 기기를 무력화시키고 생체 신경망에 혼란을 일으킨다. 이 폭탄은 폭발과 함께 강력한 전자기 충격파를 방출해, 적의 통증을 심화하고 전력을 단번에 무력화시킨다.

3. 바이오 웨폰

이 무기는 신인류의 몸을 공격하는 바이러스를 생성한다. 바이오는 생체 데이터를 기반으로 적의 신체를 분석하고, 치명적인 바이러스를 주입하여 신인류는 몸부림치며 괴로워하다가 쓰러진다.

4. 텔레포트 그레네이드

이 무기는 특정 위치에 던지면, 지정된 반경 내의 모든 물체를 순간 이동시키는 기능을 갖추고 있다. 적의 진영에 던지면, 그들의 위치를 어지럽혀 고난의 차원으로 보낼 수 있다.

양측의 무기들이 전장을 채우며, 치열한 전투가 벌어졌다. 크리스털 덮인 지구는 한때 영롱하게 빛나며 찬란한 아름다움을 자랑했다. 그러나 아이들과 신인류의 전투가 격렬해지면서 그 평화로운 지구는 전쟁의 화염에 둘러싸였다. 크리스털 숲은 점점 불길에 휘말려갔다. 그곳의 나무들은 원래 투명하고 빛나는 다이아몬드로 문명을 꽃피웠지만, 이제는 그 빛이 사라지고 불그스레한 색으로 변해갔다. 불길이 번져나가면서 크리스털 나무들은 서서히 녹아내리기 시작했다. 녹아내리는 크리스털은 끈적한 액체가 되어 땅 위로 흘러내렸고, 그곳에서는 섬뜩한 불꽃이 피어올랐다.

하늘은 자욱한 연기로 덮였고, 그 연기 너머로 불기둥들이 솟아올랐다. 지구 전체가 거대한 용광로처럼 뜨거워졌으며, 크리스털 표면은 점점 더 붉어지고 불투명해졌다. 여러 곳에서는 크리스털 기둥들이 열기를 견디지 못하고 터져 나가면서 조각조각 부서져 내렸다.

"이런 광경은 믿을 수 없어," 한 신인류가 절망에 찬 목소리로 외쳤다. "이 아름다운 지구가 이렇게 망가져 가다니."

한 아이가 조용히 말했다, "이 모든 게 우리의 싸움 때문에 벌어진 거야? 우리가 정말로 이 지구를 이렇게 만든 거야?" 전쟁터마다 크리스털 조각들이 불꽃 속에서 녹아내리며 끔찍한 소리를 냈다. 그 소리는 마치 지구 자체가 강한 비명을 지르는 듯했다.

아이들은 가족도 신경 쓰지 않았다. 붉은 이념으로 똘똘 뭉친 아이 중 한 명인, 리나는 헬멧을 벗어 던지며 다친 신인류 앞에 섰다. 그녀는 친구의 어머니였다.

"리나, 난 네 친구 엄마야. 제발 멈춰줘!" 어머니는 울부짖으며 손을 내밀었다.

"당신은 이제 나의 친구 엄마가 아니야. 우리 이념의 적일 뿐이야." 리나는 차가운 목소리로 말했다.

리나는 손에 든 무기를 들어 올렸다. 한순간의 망설임도 없이 방아쇠를 당겼다. 그녀의 눈에서 생명이 사라지는 순간, 리나의 얼굴은 미동조차 없었다. 그녀는 주변을 둘러보며 다른 아이들에게 소리쳤다. "우리는 정체성과 이념을 위해 싸우고 있다. 가족이란 이름으로 우리를 약하게 만들지 마라!"

다른 아이들 역시 리나의 행동에 충격받지 않았다. 한 아이, 준수는 친구의 아버지인 화성인과 마주했다.

"아이야, 이건 옳지 않다. 이 싸움은 우리 모두를 파국으로 이끌 뿐이야."

하지만 준수는 고개를 저었다. "당신은 우리의 정체성을 인정하지 않았어. 우리의 미래를 위협하는 자를 용서할 수 없어." 준수는 눈물을 삼키며 플리즈마 캐논을 발사했다. 하나둘 누군가에겐 어머니이자 아버지들의 피가 땅을 적셨다.

아이들은 이념보다 가족을 소중하게 여기지 않았다. 피로 물들이는 일을 정당화했다. 그들의 행동은 잔혹하고 차가웠지만, 추구하는 정의를 실현하기 위해서라면 아무런 죄책감도 느끼지 않았다. 이제 서로에게 가족이 아닌, 단지 적과 동지일 뿐이었다.

"저 불길을 봐. 저건 단순한 화염이 아니야," 신인류가 말했다. "우리가 지키려고 했던 모든 것들이 녹아내리고 있어. 우리의 미래도 함께 타버리고 있는 것 같아." 그런데도 아이들은 잔인한 무기를 사용하자, 지구의 비명 그리고 총성과 폭발음이 울려 퍼지며 매우 소란스러웠다.

이런 긴박한 상황 속, 에바는 큰 깨달음을 얻지 못한 채, 영환과 인사를 마치고 붉은 차원문으로 들어갔다. 번영하는 도시와 하늘을 가로지르는 첨단 기술들, 번쩍이는 건축물들이 그녀의 눈앞에 펼쳐졌다. 지구의 문제를 해결하기 위해 금성의 최고령자 거처로 순간이동 했다.

발전된 문명과 달리, 작고 소박한 집 앞으로 도착한 에바는 문을 두드렸다. 문이 열리고, 한 할머니가 그녀를 맞이했다. 주름진 얼굴에 지혜가 깃들어 있었고, 눈동자에는 수많은 세월을 지내온 흔적이 엿보였다.

"어서 오너라, 친구여. 무슨 일로 여기까지 왔느냐?" 할머니가 부드럽게 물었다.

에바는 깊이 고개를 숙이며 말했다. "저는 에바라고 합니다. 금성의 문명이 이렇게 발달할 수 있었던 이유를 알고 싶어서 찾아왔어요."

할머니는 에바를 의자에 앉히고 천천히 이야기를 시작했다. "우리 금성은 한때 인간의 경쟁 속에서 자본주의와 지도자의 통치 아래 빠르게 발전했었단다. 최신 과학과 기술은 인간의 경쟁에서 비롯되었지. 그러나 그 경쟁 속 과학은 결국 금성을 멸망으로 이끌었단다."

에바는 놀란 눈으로 할머니를 바라보았다. "어떻게 그런 일이 가능했나요?"

할머니는 말을 이었다. "우리도 한때는 서로 경쟁하고, 서로를 이기기 위해 최선을 다했지. 하지만 그 과정에서 우리는 너무나 많은 것을 잃었단다. 그때 어떤 신인류가 도착해 기존에 살던 금성인들을 모두 사라지게 하고, 새로운 문명이 탄생했어. 지금 우리가 사는 이 문명도 언젠가 같은 운명을 맞을지도 몰라."

"하지만 지금의 금성은 중도의 길을 걷고 있잖아요," 에바가 반박했다.

"맞아, 우리는 문명이 너무 발달한 나머지 중도의 길을 선택했지. 하지만 호기심은 언제나 양날의 검이란다. 우리는 그것을 억제하려고 노력했어. 우리가 먹던 알약은 영양 섭취를 1년간 유지할 수 있는 장점이 있지만, 그 속엔 호기심을 억제하는 물질도 들어있단다."

에바는 놀라며 물었다. "호기심을 억제한다고요? 왜 그런 일을 했나요?"

할머니는 슬프게 웃으며 대답했다. "호기심은 발전을 가져오지만, 동시에 파괴를 초래할 수도 있단다. 그래서 우리의 문명을 지키기 위해 그런 결정을 내린 것이지."

에바는 할머니가 건네준 알약을 손에 들고 물었다. "할머니, 이 호기심을 억제하는 알약은 누가 만들었나요?"

할머니는 잠시 생각에 잠기더니, 천천히 대답했다. 그녀의 눈에는 오래된 기억 속에 친구들이 떠오르는 듯했다. "그것이 바로 우리의 조상인 신인류가 만든 약이야. 하지만, 이것도 그저 입으로 전해 내려오는 이야기일 뿐이야."

그녀는 할머니와의 대화로 현재 자신들이 지구에서 겪고 있는 문제의 근원을 해결할 수 있을 것 같았다.

"감사합니다, 할머니," 에바가 말했다. "이 이야기가 저에게 많은 도움이 될 것 같아요."

할머니는 따뜻하게 미소 지으며 말했다. "부디 너희 문명이 우리의 실수를 반복하지 않길 바란다, 에바. 그리고 너희도 중도의 길을 걸으며, 호기심의 위험성을 항상 염두에 두어야 할 것이다."

에바는 고개를 끄덕이며 자리에서 일어섰다. 그녀는 할머니의 지혜를 가슴에 새기며, 다시 현재로 돌아갔다. 펜던트는 빛을 받아 은은한 광채를 띠고 있었다. 에바는 펜던트를 손가락 사이로 느끼며, 그 속에 담긴 기억들을 되새겼다. 갑자기, 한 가지 깨달음이 에바의 마음을 강타했다.

'문명의 발달과 인간의 호기심이 왜 행성마다 이렇게 다른지.'

금성은 자본주의와 경쟁 속에서 문명이 발달했다. 그리고 발달 뒤, 멸망하기 전 지구와 같이 신인류가 도착했다. 그리고 지금은 알약을 통해 호기심을 억제하고, 강제적으로 중도의 길을 걷고 있다.

화성은 경쟁도, 자본주의도 없는 곳이다. 호기심은 있으나 짧은 수명으로 인해 제대로 꽃피우지 못하고, 경쟁이 없는 사회가 결국 가난을 만들었다. 화성인들은 단순히 생존을 위해 살아가며, 문명의 발달은 불가능했다.

그렇다면 지구는 어떤가, 그곳은 알약을 먹은 아이들이 호기심이 억제되지 않고 왕성했다. 그 호기심은 문명을 발전시키는 원동력이었지만, 결국 붉게 물들며 멸망의 길을 걷고 있다. 그들의 호기심은 결국, 통제되지 않고, 무분별하게 사용되어 파멸을 가져왔다.

에바는 각 행성을 분석하고, 금성의 유물 앞에 섰다. 과거로 돌아가 두 번의 조언을 구해봤지만, 정확히 이 위기를 어떻게 극복해야 할지 고민했다. 지구는 붉어지고, 신인류와 그들의 아이들 사이의 전투는 멈추지 않았다.

"그렇다면, 어떻게 해야 할까…." 에바는 깊은 한숨을 내쉬며 스스로 물었다. 그녀는 다시 한번 시간차원문을 열고 과거로 돌아갔다. 이번엔 화성인 남자를 데려오지 않고 금성인 여자만 데려오면 어떤 결과가 나올지 확인해보려 했다. 이번에는 아이들이 태어나지 않았다. 에바는 행복해하며, 현재로 돌아와 결과를 확인했다. 과거의 선택이 현재에 어떤 영향을 미쳤는지 궁금했다. 하지만 지구는 여전히 붉어지고 있었다. 아이들이 태어나지 않았지만, 지구는 여전히 그 운명을 피해갈 수 없었다.

"아이들이 태어나지 않아도 왜 항상 같은 결과일까…." 에바는 실망과 좌절을 느끼며 중얼거렸다. 그녀는 금성의 유물 앞에 주저앉아, 무기력하게 고개를 떨구었다.

그때, 에바는 할머니의 말을 떠올렸다. "호기심은 양날의 검이다."

"어쩌면 우리의 운명은 이미 정해져 있는 걸지도 몰라," 에바는 속삭였다. 하지만 그녀는 포기할 수 없었다. 그녀는 금성의 지혜와 경험으로 이 문제를 해결할 방법을 찾아야 했다.
에바는 다시 한번 시간차원문을 열고 금성의 최고령자를 찾아갔다. 할머니의 지혜는 그녀에게 마지막 희망이었다.

"할머니, 지구를 붉게 만드는 이 운명을 어떻게 피할 수 있을까요?" 에바가 절박하게 물었다.

할머니는 깊은 생각에 잠기더니, 천천히 입을 열었다. "에바, 네가 과거를 바꾸려는 시도는 충분히 이해하지만, 어쩌면 우리는 신의 의도를 모를 것이다. 인간 중심의 사고로는 이해할 수 없는 일이 너무 많구나…."

에바는 시간을 다시 되돌리며, 위기를 막기 위해 최선을 다했다. 그러나, 이번에도 결과는 같았다.

"이번에도 실패하면 어떻게 될까?" 라감의 영혼으로 묶인 재욱의 목소리가 저 너머 깊은 어딘가에서 텔레파시로 들려왔다.

"다른 방법을 찾겠지," 에바는 결연한 표정으로 대답했다. "우리는 포기할 수 없어. 지구를 구해야 해. 어떤 방법을 동원해서라도."

과거를 몇 번이나 되돌려도 결과는 변하지 않았다. 모든 노력이 헛되었다는 사실이 그녀를 괴롭혔다. 그녀는 한 번 더 시간차원문을 열어보려 했지만, 이미 힘이 다 소진된 몸은 버티지 못했다.
"얼마나 많은 시간을 되돌렸는데…. 왜 아무것도 바뀌지 않는 걸까?" 그녀는 차원의 문을 열어, 과거의 상황을 바꾸기보다는 현재의 문제를 해결하기로 했다.

"우린 싸우기 위해 태어난 게 아니야," 에바는 단호하게 말했다. "그들을 설득해야 해!. 이 전투를 끝내기 위해서라면."

전투는 계속되었고, 신인류와 아이들 사이의 갈등은 점점 최고조에 달했다. 에바는 서로의 차이를 인정하고, 공존할 수 있는 길을 찾기 위해 끝까지 싸웠지만, 전투의 끝은 보이지 않았다.

지구는 계속 비명을 질렀고, 그 비명은 에바의 귀에 메아리쳤다. 눈 앞에 펼쳐진 처참한 광경을 바라보며 붉은 피로 물든 대지를 보았다. 크리스털 지구는 영롱한 보석이 아닌, 불길 속에서 절망적으로 몸부림치는 생명체와 같았다. 불길에 휩싸인 크리스털 지구는 이제 그들에게 고통과 회한을 남긴 채 서서히 잿더미로 바뀌어 갔다.

전투가 격렬해지면서, 몇몇 금성인들의 대화가 오갔다.

"우리는 어떻게든 지구인의 영향에서 벗어나야 해. 금성까지 다시 이동하는 건 어때?" 한 금성인 여자가 조심스럽게 말했다.

다른 여자가 고개를 끄덕이며 대답했다. "그래! 그들의 폭력과 쿰쿰한 냄새가 우리를 짓누르고 있어."

이 상황을 벗어나기 위해 황급히 차원문 시계를 사용해 두려움과 불안 속에 금성으로 순간 이동했다.

한편, 화성인들은 마지막으로 고민했다.

"제기랄, 이런 상황에선 우리가 무얼 할 수 있겠어?" 한 화성인이 피투성이가 된 얼굴로 중얼거렸다.

다른 화성인이 씁쓸하게 웃으며 대답했다. "화성으로 돌아가봤자, 거기서 기다리는 건 짧은 수명과 강제 노동뿐이야. 무슨 희망이 있겠어?"

"맞아, 그곳에서는 하루하루가 지옥이었지. 여기서도 마찬가지지만, 적어도 자유라는 환상이라도 있었어." 또 다른 화성인이 고개를 끄덕이며 말했다.

"우리가 비폭력으로 저항한다고 해서 뭐가 달라질까? 결국, 저 아이들 손에 맡기는 수밖에 없잖아. 화성에서 죽느니, 체념하는 게 낫겠지."

그들은 체념한 표정으로 고개를 숙여 부서진 크리스털 땅을 바라보았다. 한 화성인은 깊은 한숨을 내쉬며 말했다. "그래, 이제 어차피 선택의 여지가 없어. 그 아이들이 우리의 미래를 결정하게 놔두는 수밖에."

"아이들이 우릴 어떻게 할지 모르겠지만, 적어도 우린 화성의 굴레에서 벗어날 수 있어. 그게 나쁘진 않잖아?" 한 화성인이 나지막이 말했다. 그들은 서로의 얼굴을 보며 고개를 끄덕였다. 그들의 눈에는 싸울 힘도, 저항할 의지도 없이 절망이 어른거렸다.

"어차피 우리가 더 방어해봤자 큰 변화는 없을 거야. 그냥 받아들이자. 그게 우리가 할 수 있는 최선이야." 마지막으로 한 화성인이 조용히 말했다.

결국, 그들 중 일부는 체념하고 전투를 포기했다. 그러나 생존 욕구가 강한 일부 화성인들은 심해나 우주로 도망쳤다. 심해로 도망친 화성인들은 암흑 속에서 아이들의 눈을 피했다. 하지만 알약을 집에서 미처 들고 오지 못해 식량을 구하기 위해 위험을 무릅쓰고 바다 위로 올라가야만 했다. 배고픔에 지친 그들이 나무의 열매를 따기 시작하자, 아이들은 순간이동으로 찾아와 바이오 웨폰으로 바이러스를 퍼뜨려 그들을 하나씩 제거했다.

몇몇은 아이들의 눈을 피해 지구의 땅 위를 기어 다니기 시작했다. 곧바로 그들의 눈앞에 불개미들이 나타났다. 크리스털 개미들은 평소와 다름없이 일에 열중했지만, 아이들 전투 속에 붉어진 불개미들은 작아진 화성인이 눈앞의 커다란 먹잇감으로 보였다. 개미들은 화성인들에게 달려들어 물기 시작했다. 화성인들은 처음에는 벌레 따위에 주눅이 들지 않았지만, 점점 늘어나는 개미의 숫자에 당황했다. 그들은 필사적으로 개미들을 떨쳐내려 했지만, 집요하게 달라붙어 그들의 몸을 뜯었다.

"이럴 수가, 이렇게 작아졌는데도 안심할 수 없다니!" 한 화성인이 울부짖었다.

작아진 상태에서 버티기 힘들었던 일부 화성인들은 중간 크기로 변신했다. 하지만 그 순간, 주변에서 으르렁거리는 소리가 들려왔다. 그들의 앞에 사자와 호랑이가 날카로운 발톱과 이빨을 드러내며 다가왔다. 중간 크기의 화성인들은 필사적으로 도망치려 했지만, 뒷모습은 그들의 본능을 더욱 자극하여 빠르게 그들을 뒤쫓았다.
"이건 말도 안 돼! 어디서든 안전하지 않다니!" 또 다른 화성인이 비명을 질렀다.

더는 육지에서 버틸 수 없다고 판단하고 바다로 뛰어들었다. 그들은 바닷속에서 몸을 숨기려 했지만, 상어와 범고래가 그들을 기다렸다. 상어들은 화성인들을 향해 빠르게 헤엄쳐 왔고, 범고래들은 그들을 무섭게 몰아붙였다.

"이럴 수가! 바다에서도 안전하지 않다니!" 한 화성인 결국, 상어에게 붙잡혀 몸이 두 동강 났다.

화성인들은 이 상황이 너무도 어처구니없고 황당해서 웃음밖에 나오지 않았다. "이게 우리의 운명이라면, 정말 웃기지 않나?" 한 화성인이 말했다. 그들은 이제 도망치지 않았다. 자신들의 능력이 아무런 소용이 없다는 것을 깨달았고, 그 상황 속에서 운명을 받아들였다.

신인류의 저항은 점점 약해졌고, 아이들의 잔인한 공격에 속수무책으로 무너져갔다. 그녀는 그 광경을 보며 좌절감에 사로잡혔다.

"이렇게 끝나는 건가…." 에바는 중얼거렸다.

"모든 것이 헛되었어." 그녀는 몸을 부들부들 떨며 말했다.

에바는 한쪽 무릎을 꿇으며 자신의 무력함으로 분노와 슬픔이 섞인 눈물을 흘렸다. "엄마…. 당신의 희생도, 나의 모든 노력도…. 아무 소용이 없었어." 그녀는 떨리는 손으로 펜던트를 만지작거렸다. "이제 당신에게 뭐라고 말해야 할까요?"

아이들이 순간 이동하며, 함성이 점점 가까워지고 있었다. 에바는 마지막으로 엄마의 얼굴을 떠올렸다. 그녀의 따뜻한 미소, 그 따스한 품. 에바는 눈을 감고 그 순간을 되새겼다. 그리고 다시 눈을 떴을 때, "우리는 여기서 끝나는 건가?" 에바는 자신의 다리에 힘이 빠져가는 것을 느끼며 중얼거렸다. 그녀의 시선은 흐릿해졌고, 온몸은 철근콘크리트와 같이 무거워졌다. "결국, 아무것도 바꿀 수 없다는 것을…. 인정해야 하는 건가…."

그녀는 펜던트를 꽉 쥐며 마지막으로 힘을 내어 일어섰다. "엄마, 미안해요. 정말 미안해요…." 그녀의 눈에서 맑은 눈물이 아닌 피눈물이 흘러내렸다. "나는 당신의 희생을 기릴 수 없었어요."

에바는 무너져가는 신인류의 방어선을 마지막으로 바라보며 더 저항하는 것이 얼마나 덧없고 무의미한지 알었다. 아이들의 무리가 그녀를 향해 다가오자, 에바는 펜던트를 가슴에 꼭 끌어안고, 마지막 힘을 짜내어 외쳤다. "나는 포기하지 않을 거야. 엄마의 영혼이 나와 함께 하니까…."

에바는 그들이 사냥감을 찾아 헤매는 포식자처럼 느껴졌다.

"슉!" 차원문 시계가 작동하며, 에바는 한순간에 전장의 다른 한쪽 끝으로 이동했다. 아이들은 그녀를 따라 순간 이동했다. 그들의 눈은 광기로 번뜩였고, 입에서는 기괴한 웃음소리가 흘러나왔다. "저기 있다!" 한 아이가 소리쳤다. 그의 목소리는 헤로인에 취한 듯 들뜬 톤이었다. 에바는 그 소리에 몸을 떨었다.

그녀는 다시 한번 차원문 시계를 작동시켰다. "슉!" 이번에는 한참 떨어진 바위 뒤로 이동했다. 그러나 아이들은 그녀의 위치를 알아채고, 사냥감을 쫓는 포식자처럼 뒤따라왔다.

"너희들, 도대체 왜 그러는 거야!" 에바는 절규하며 외쳤다. 그러나 아이들의 눈에는 그녀의 목소리가 들리지 않는 듯했다. 그들은 그녀를 한낱 쾌락의 대상으로 여겼다. 에바는 이내 벗어날 수 없는 덫에 걸렸다고 생각했다.

한 아이가 그녀 앞에 나타났다. 그의 얼굴은 쾌락에 미쳐 있었고, 손에 들린 무기는 잔인하게 반짝였다. "끝이다!" 그는 외쳤다.

에바는 시계를 작동하려 했지만, 손이 떨려 제대로 조작할 수 없었다. 그리고 한순간, 그의 무기 속 섬광이 번쩍였다. 그녀는 비명을 질렀다. 그 순간, 차원문 시계가 마지막으로 작동하며, 그녀의 몸을 다른 차원으로 던져버렸다. 그러나, 그녀는 이미 치명상을 입은 상태였다. 아이들은 그녀가 사라진 공간을 바라보며 미친 듯이 웃었다. 그들의 손에는 시뻘건 피가 묻었다. 그들은 사냥이 끝난 후의 포식자처럼 만족스러운 표정을 지었다.

에바는 다른 차원에서 마지막 숨을 내쉬며, 시야는 점점 어두워졌고, 마지막으로 떠오르는 것은 엄마와 재욱의 얼굴이었다. 에바는 죽음 앞에서 라감의 영혼이 스쳐 지나갔다. 그녀는 초점이 없는 눈으로 손에 펜던트를 쥐었다.

"라감의 영혼은 정말 불가사의해," 그녀는 속삭였다. "그것은 계획된 것이 아닌, 우연히 일어나는 일이야. 아무런 전조도, 예측도 없이, 그저 어느 순간, 어느 누군가에게 옮겨질 뿐이지."

"이런 우연성 속에서, 우리는 라감의 영혼이 옮겨진 사람을 특별하게 여기지," 그녀는 다시 말했다. "아니야. 그들은 특별하지 않아. 그들은 그저 선택된 것일 뿐이야. 우연히, 아무런 이유도 없이."

"나 역시 그렇지. 내가 라감의 영혼을 지니고 있다는 것은 그저 우연일 뿐이야. 내가 선택된 이유는 없어. 그저 우연히 선택되었을 뿐이지." "모두…. 우연이었어. 라감의 영혼도, 우리가 만난 것도…. 다…."

숨을 헐떡이며, 다시 펜던트를 바라보았다. "이 작은 물건이 내 운명을 결정짓지 않았어. 그것은 그저 우연히 나에게 온 것일 뿐이야. 그 불확실성과 함께, 그저 앞으로 나아갈 뿐이지."

"엄마, 이제 당신 곁으로 갈게요…." 에바는 마지막 숨을 내쉬며 속삭였다. "내가 해낼 수 없었지만, 당신의 사랑은 영원히 내 마음 속에 남아 있을 거예요."

그렇게 에바는 어딘가 차가운 대지에 쓰러졌다. 그녀의 손에서 펜던트가 미끄러져 나왔고, 그 속에서 따스한 빛이 마지막으로 깜빡였다. 에바의 눈은 영원히 감겼고, 그녀의 얼굴에는 마지막으로 평온한 미소가 떠올랐다. 그리고 그녀의 몸에서 엄청난 빛이 솟구쳤다. 그 빛은 태양처럼 눈 부셨다. '라감의 영혼' 그 특정할 수 없는 형체는 에바의 몸을 떠나 순식간에 하늘로 솟구쳤다. 그리고 한 점의 흔적도 남기지 않고 어디론가 사라졌다.

그녀의 손에서 떨어진 펜던트 안의 사진이 순간적으로 빛나기 시작했다. 사진 속에는 재욱과 에바, 그리고 엄마인 라감의 모습이 있었다. 그리고 그들과 함께, 총 일곱 명의 실루엣이 희미하게 나타났다. 그 실루엣들은 서로 손을 잡고 있었다. 그 일곱 명의 실루엣은 한동안 빛을 내뿜다 이내 사라졌다. 그들의 존재가 에바의 마지막 순간을 지켜본 후 떠나는 것처럼.

그리고 누군가의 목소리가 들렸다. "이제 너는 나와 하나가 되었다, 라감. 어서 오너라."

4-3 새로운 세상의 몰락

아이를 낳지 않은 일부 금성인들은 지구의 폭력과 쿰쿰한 냄새에서 벗어나, 금성으로 돌아왔다. 모성애가 전혀 없는 이들에게는 특히 더욱 두려웠다. 그들은 앞으로 지구인이 금성으로의 이동이나 탐사를 피하고자 자신들을 보호하기 위한 논의가 진행됐다.

한 여자가 고개를 숙이며 생각에 잠겨 말했다. “우리가 지구인들의 눈에 보이지 않도록, 투명 돔 공간 안에 살아가는 것은 어떨까? 그렇게 하면 우리는 그들의 시선을 피할 수 있을 거야.”

금성인들은 지구인들의 침입으로부터 금성을 보호하기 위해 금성을 기체로 덮어버리고, 그 안에서 진화해 투명한 형태로 변모했다. 이제 금성은 지구인들이 접근할 수 없는 영역이 되었다. 금성의 대기는 금성인들의 의지로 덮이고, 그들은 그 안에서 지구의 여성들의 도착을 감지하는 기술을 개발했다. 그 순간, 금성의 모든 건물과 문명은 미생물로 둔갑하거나, 즉시 숨을 수 있게 되었다.

지구인 여자들은 금성을 탐사할 수 없게 되었고, 금성인 여자들은 그들의 안전을 도모하기 위해 철저한 방어 태세를 유지했다. 비로소 그들은 지구인의 검붉은 분위기에서 벗어나 다른 삶을 살아가는 토대를 마련했다.

한편, 전투의 여파가 아직 남아 있는 지구의 대지, 모든 것이 파괴되고 잿더미로 변한 가운데, 아이들은 승리의 기쁨을 만끽했다. 그들의 웃음소리와 환호는 공허하게 울려 퍼졌다.

신인류와의 치열한 전투가 끝난 후, 아이들은 자신들이 이룬 승리를 영원히 기념하기 위해, 신인류의 방식을 따라 석을 세우기로 했다. 전투로 폐허가 된 지구의 대지는 여전히 그들의 발자국 아래서 무겁게 느껴졌다. 한때 문명은 최고조에 이르렀으나, 전쟁의 여파로 인해 모든 것이 파괴되어 버렸다.

아이들은 거대한 바위가 있는 중심지로 이동했다. 그들이 밟을 때마다 땅은 푹푹 꺼졌고, 여전히 전투의 흔적들이 널려 있었다. 그들의 손은 작은 상처와 흙으로 더러워졌다.

"이곳이 바로 우리의 새 역사를 다시 쓸 장소야," 한 소년이 말하며 바위의 위치를 잡았다. "우리의 승리를 기억하게 될 거야."

아이들은 서로 협력하며 고대 석을 본격적으로 세우기 시작했다. 거대한 바위는 그들의 힘을 하나로 모은 결과로 천천히 자리 잡았다. 그들 중 한 소녀가 부드럽게 바위를 어루만지며 말했다. "이 바위는 우리의 승리뿐만 아니라, 우리가 겪은 고통과 희생도 기억하게 될 거야."

바위가 완전히 세워졌을 때, 아이들은 그 앞에 서서 새로운 세상의 시작을 기념하며 서로를 바라봤다. 그들의 눈빛에는 불안과 걱정이 섞여 있었다. 주변의 풍경은 전쟁의 흔적으로 넘쳐났다. 비록, 그들의 발자국을 남기는 길은 거칠고 험난할지라도, 새로운 희망을 품기로 했다.

고대석은 살아 숨 쉬는 듯, 신인류와 또 다른 문명을 기념했다. 그렇게, 폐허 속에서 그들의 전투가 영원히 기억되려는 그 순간, 하늘에서 이상한 움직임이 포착되었다.

아이들의 손목에 있던 차원문 시계들이 일제히 빛을 발하며, 손목을 벗어나 하늘로 떠오르기 시작했다. 그리고 높은 곳에서 모여들었다. 빛은 점점 강해지며, 눈부신 광채가 온 하늘을 뒤덮었다. 아이들은 당혹하며 하늘에서 벌어지는 초자연적인 현상을 바라봤다. 차원문 시계들이 하나로 뭉치며, 그 빛은 점점 더 강렬해졌다.

"저게 도대체 뭐야?" 한 아이가 두려움에 찬 목소리로 외쳤다.
"모르겠어, 하지만 뭔가 큰일이 일어나고 있어." 또 다른 아이가 대답했다.

시계들이 완전히 하나로 합쳐지자, 그것은 거대한 빛의 구체로 변했다. 그 구체는 엄청난 에너지를 방출하며, 주변의 공간을 일그러뜨렸다. 그 빛은 너무나 강렬하여, 아이들은 눈을 제대로 뜰 수조차 없었다. 구체의 중심에서 엄청난 소용돌이가 생기더니, 갑자기 빠른 속도로 더 높은 하늘로 치솟아 올랐다. 그리고 구체는 순식간에 하늘을 가로지르며 사라졌고, 그 자리에 남은 것은 깊고 어두운 밤의 하늘뿐이었다. 그 광경을 지켜보던 아이들은 숨을 죽인 채, 몇 분간 멍하니 서 있었다.

"대체 무슨 일이 일어난 거지?" 한 아이가 조심스레 물었다.

아무도 대답할 수 없었다. 그저 하늘을 바라보며, 그들이 방금 목격한 것이 무엇이었는지 알기 위해 머리를 맞댔다. 전투의 승리와 그 뒤에 벌어진 초자연적인 현상, 모든 것이 혼란스러웠다.

점차 다이아몬드 문명은 붕괴하기 시작했다. 아이들이 입고 있던 미래의 옷들은 점차 빛을 잃었고, 신발들도 발아래 부서졌다. 미래의 섬유로 만들어진 옷들은 열기에 녹아들어 한 조각씩 떨어져 나갔고, 그들은 점점 더 옛날의 모습으로 돌아갔다. 아이들이 먹던 알약들은 손안에서 산산조각이 나며 바람에 흩어졌다. 그들이 의존하던 첨단 기술의 모든 자취가 사라져갔다. 다시는 알약이 그들의 허기를 채워줄 수 없었고, 그들은 공허한 손을 괜히 휘저었다.

한 아이가 급히 주머니에서 캡슐을 꺼내 집을 만들려 했지만, 캡슐도 그들의 눈앞에서 힘없이 부서져 버렸다. 마법처럼 집을 만들어주던 캡슐은 이제 아무런 기능도 하지 못한 채 흙으로 돌아갔다. 그들은 더 보호받을 장소가 없다는 사실에 불안해졌다. 전쟁 속에서 살아남은 집들과 도시들도 무너져내렸다. 그들은 무너지는 집을 보며 절망에 찼다.

"이게 무슨 일이야?" 한 아이가 울부짖었다. "우리 집이 사라지고 있어!"

아이들은 이제 맨발로 뜨거운 지면을 디뎌야 했다. 그들은 다급하게 주변을 둘러보며 무너지는 문명을 바라봤다. 다른 문명도 예외는 아니었다. 그들이 의지하던 첨단 기술 중 무음 제거 장치는 이제 아무런 소리도 내지 못했고, 심리적 억제 필드는 작동을 멈췄다. 그들의 광자 보호막도 그들을 보호하지 못했으며, 나노 치료 드론들은 전투 중 사라져 버렸다. 금성에서 가져온 초 고도화된 문명과 크리스털 지구가 지녔던 에너지 공명 및 크리스털 편집 기술도 아이들의 눈앞에서 하나씩 하늘로 사라져 갔다. 아이들은 이제 기술에 의존할 수 없었다. 우주로 도망친 화성인들은 시계가 사라지자 갈 곳을 잃었다. 그들은 무한한 우주 속에서 목적지를 잃고 방황했다. 돌아갈 곳도 없었고, 그들의 고향인 화성은 그저 멀리 있는 기억 속의 장소가 되어버렸다.

모든 것이 무너지고 사라져가는 가운데, 그들은 자신들이 만들어낸 파괴의 대가를 눈앞에서 목격했다. 그리고 그들이 남긴 것은 그저 화려했던 지구의 잔해뿐이었다. 그 하늘로 사라진 빛은 그들에게 또 다른 질문을 던져주었다. 그 빛은 어디로 갔는가? 그리고 그것은 어떤 의미를 지니는가.

수년이 지나, 가장 강해 보이는 한 아이는 성인이 되어 지도자처럼 사람들을 이끌었다. 그의 결연한 눈빛과 단단한 체격은 자연과 싸움 속에서 단련된 결과였다. 그는 사람들을 모아 새로운 질서를 세웠다. 크리스털 지구는 이제 과거의 기억일 뿐, 새로운 현실이 그들 앞에 펼쳐졌다.

지구의 지각판도 떨어져 나가며 각기 다른 영역을 형성했다. 사람들은 새로운 지도자의 명령 아래 각각의 영역에서 자급자족하며 살아갔다. 문명이 사라진 이들은 다시 원시적인 삶으로 돌아갔다.

나무 사이를 빠르게 움직이는 이들의 발걸음은 대지의 리듬과 일치했다. 그들은 새벽에 일어나 동물들의 움직임을 주시하며 사냥을 준비했다. 활과 창을 만들고, 몸은 날렵하게 움직이며 먹잇감을 쫓았다. 옷은 최소한으로 만들었다. 벌레들과 독성 식물로부터 보호하기 위해 번식에 필요한 중요한 부위만 가리고, 나머지는 자연의 상태로 돌아갔다. 그리고 허기를 채우기 위해 동물들을 사냥했고, 비를 피할 곳을 찾기 위해 동굴로 들어갔다.

비가 오는 날, 그들은 동굴 안에서 불을 지폈다. 불길이 타오르며 동굴 안을 따뜻하게 밝혔다. 그들은 불 옆에 모여 앉아 몸과 손을 녹이며, 생존의 안락함을 느꼈다. 그들의 피부는 긴장과 추위에서 풀려났고, 눈은 불빛의 따스함에 반짝였다.

동굴 안에 모여 앉아 불을 지피던 사람들은 오늘의 사냥 이야기를 나누고 있었다. 불꽃은 벽에 그림자를 드리우고, 타닥타닥 소리가 동굴 안을 채웠다. 그들의 눈빛은 날카롭고 결연했으며, 주위에 들리는 바람 소리와 동물들의 울음소리가 자연스레 귀에 들어왔다.

한 남자가 고기를 구우며 말했다. "오늘 숲에서 사슴을 잡았어. 처음엔 도망가려 했지만, 끝까지 쫓아서 결국 잡았지."

다른 여자가 고개를 끄덕이며 답했다. "우리도 사냥에 성공했어. 하지만 사냥터에서 늑대를 만나 싸워야 했어. 본능적으로 서로를 잡아먹는 시대가 온 것 같아."

동굴 한구석에서 한 아이가 말을 이어갔다. "맞아. 동물들도 우리를 보고 배우는 것 같아. 배고프면 서로를 잡아먹고, 약한 자는 강한 자에게 잡아먹히는 것이 당연해진 것 같아."

그 말을 듣고 있던 한 남자가 고개를 끄덕이며 깊은 목소리로 말했다. "우리도 동물들도 생존을 위해 싸우고 있어. 자연의 법칙은 우리가 알지 못한 무언가 있어."

불길이 일렁이며 그의 얼굴을 비추었고, 사람들은 서로의 눈을 바라보며 그 현실을 받아들였다. 그들은 강해져야만 했고, 약자는 자연스럽게 도태될 수밖에 없었다.

한 여자가 조용히 말을 덧붙였다. "우리가 이렇게 살아가는 게 당연해졌어. 우리는 그저 살아남아야 할 뿐이야."

다른 사람들이 고개를 끄덕이며 그녀의 말을 받아들였다. 이제 그들에게 중요한 것은 단 하나, 생존이었다. 그들은 야만의 시대 속에서 적응하며 살아갔다.

불길이 점점 작아지고, 동굴 안의 사람들은 하나둘씩 잠자리에 들기 시작했다. 그들의 얼굴에는 피로와 결연함이 서려 있었다. 야만의 시대에서 그들은 새로운 질서를 만들어갔다. 다음 날 심해에 생존하던, 몇몇 화성인이 푸른 땅을 밟자 그들은 자신들의 터전을 침범하는 화성인들에게 몽둥이를 들고 다가갔다. 문명은 파괴되었지만, 화성인들은 여전히 야만이 섞인 물고기나 육류를 먹지 않았다. 식물을 먹기 위해 올라온 그들은 원시인들에게 몰매를 맞으며 속수무책으로 쓰러졌고, 고통 소리가 바다 위로 메아리쳤다. 크리스털 지구가 푸른 지구로 바뀌자 화성인들의 수명도 다시 14세로 돌아갔다. 15세가 넘은 그들은 이제 시간이 지나며 기아와 질병을 안고 자연사할 수밖에 없었다. 그들은 불알이 다시 떨어지기를 기대했지만, 5세 미만의 화성인들은 크리스털 지구에 도착한 뒤로 불알이 떨어지지 않았기 때문에 그 어디에도 없었다. 순수 화성인 유전자는 모두 전멸되었다. 그들의 운명은 비극적이었지만, 끝까지 선구자의 철학을 지키며, 자연 속에서 겸허하게 운명을 받아들였다.

재욱은 깊은 심해 속, 어두운 물결이 일렁이는 가운데 조용히 수면 위로 올라왔다. 그리고 고대석을 바라보며 말했다. "에바가 찾아왔듯이, 또 다른 누군가가 찾아올 거야." 그는 조용히 말했다. "그들이 도착할 때, 우리는 준비되어 있어야 해."

주변을 둘러싼 차가운 물은 그의 생각을 더욱 맑게 해주었다. 그는 자신에게 닥친 많은 일과 변화들을 떠올리며 고뇌했다.

"세상은 변한다." 그는 자신에게 속삭였다. "기술은 발전하고, 문명은 진보하며, 사람들은 그것에 따라 변화한다. 하지만, 변하지 않는 것도 있을까?"

그는 심해 속의 고요함을 느끼며, 깊이 파고들었다. 재욱은 세상이 변하더라도, 절대 변하지 않는 원칙이 무엇인지 고민했다. 그는 자신이 이해하고 있는 인간의 본질에 대해 생각해보았다.

"호기심," 그는 마침내 깨달았다. "인간의 호기심은 변하지 않는 불변의 법칙이 아닐까?"

재욱은 이 생각을 곱씹으며, 세상의 모든 혁신과 발견, 심지어 전쟁과 평화까지도 인간의 호기심에서 비롯되었다는 것을 깨달았다.

"호기심이 없다면, 우리는 지금 어디에 있을까?" 그는 자신에게 물었다. "인간의 호기심이 없다면, 우리는 과거에 머물러 있을 뿐일 거야. 모든 변화는 그 호기심에서 시작되었어. 그것이 바로 세상을 움직이는 힘이지."

그는 심해의 고요한 물결 속에서 홀로 떠다니며, 이 생각을 마음에 새겼다. 세상은 변하고, 모든 것은 시간이 흐름에 따라 달라지지만, 변하지 않는 한 가지는 바로 인간의 호기심이라는 불변의 법칙임을 확신했다.

"나는 이 진리를 깨달았어." , "세상이 어떻게 변하든, 우리 안의 호기심은 절대 사라지지 않을 거야." 재욱은 깊은 심해 속에서 인류의 역사를 보며, 새로운 결의를 다졌다.

5

회귀

붉었던 지구는 천천히 자정작용을 통해 푸르게 변했다. 자연은 자신을 스스로 치유하며 새로운 생명을 틔우기 시작했다. 새로운 나무와 식물들이 자라며, 대지는 다시금 생명의 기운을 되찾아갔다. 남은 소수의 인간은 본능적으로 새로운 시작을 받아들이며, 원시적인 삶을 영위했다. 그들은 문명의 잔해 속에서 살아남기 위해 협력하고, 새로운 공동체를 만들어갔다.

원시시대로 되돌아간 아이들의 새로운 아담과 이브도 등장했다. 어떤 신인류의 부모 이름을 그대로 딴 둘은 서로의 사랑을 나누고, 그들은 평화롭고 천진한 자연 속에서 다시 태어난 것처럼 보였다. 대륙의 지각판은 천천히 멀어져, 그 사이 대양이 생겨났다. 그리고 지구에는 야생의 무리가 우글거렸다. 아담과 이브는 그 속에서도 특별한 존재로 빛났다. 그들은 지식을 탐구하고, 자연을 탐험하며, 신비한 세계를 발견했다. 그들의 도전과 탐험은 이어지는 세대들에게 큰 영감을 주었고, 이에 인류의 역사는 조금씩 진보했다.

푸르게 변해가는 지구는 그들을 축복하듯, 새로운 생명이 태어났다. 나무와 풀, 동물들이 번성하며, 그들은 푸른 지구를 만들어갔다. 그리고 과거 크리스털 지구의 찬란한 시절을 직접 겪었던 아이들은 자라면서 수명이 급격히 줄어들어 35세쯤 모두 생을 마감했다. 그들의 눈에는 아직도 크리스털로 뒤덮인 영롱한 지구의 모습이 생생하게 남아 있었다. 그 기억들은 다음 세대에게 전해졌다.

어느 날, 동굴 깊숙한 곳에서 아이들은 벽화를 그렸다. 불꽃이 일렁이며 벽에 그림자를 드리웠다. 한 아이가 붉은 진흙을 손에 묻혀 벽에 크리스털의 모습을 그렸다. 그 옆에는 에너지로 빛나는 거대한 도시와 반짝이는 강이 이어졌다. 그의 손길은 섬세하고 정교했다. 그림을 그리던 아이는 불을 바라보며 입을 열었다. "우리 할아버지가 말하길, 한때 이 지구는 크리스털로 뒤덮여 있었대. 그때는 모든 것이 영롱하고 화려했지."

옆에서 그림을 보고 있던 다른 아이가 물었다. "그런데 왜 지금은 그렇지 않은 거야?"

할아버지의 이야기를 들은 아이는 깊은 한숨을 내쉬며 말했다. "그때는 우리가 강했고, 기술이 발달했었지만, 지금은 그 기술도 사라지고, 힘으로만 살아가야 해."

불꽃이 타오르며 벽화의 그림자를 일렁였다. 그 아이들의 아이들이 태어났다. 그들은 동굴 속 벽화를 바라보며 그 이야기를 들었다. 벽화 속의 영롱한 지구는 이제 그들에게 전설이 되었다. 입에서 입으로 전해지는 이야기는 시간이 흐르며 점점 더 신화처럼 변해갔다.

그때 소년의 손자들이 태어나고 8살 된 손자가 벽화를 바라보며 물었다. "할아버지, 저게 정말로 있었던 일이에요?"

할아버지는 깊은 눈빛으로 벽화를 바라보며 말했다. “그래, 우리 조상들이 직접 겪었던 일이지. 그들은 크리스털 지구에서 살았고, 그곳은 아주 아름다웠단다. 하지만 이제는 우리가 살아가는 이곳이 우리의 현실이야.”

손자는 벽화를 바라보며 꿈꾸듯 말했다. “언젠가 우리도 다시 그런 곳에서 살 수 있을까요?”
할아버지는 미소를 지으며 손자의 머리를 쓰다듬었다. “그것은 우리가 어떻게 살아가느냐에 달려 있단다. 힘으로 지배되는 이 시대에서도 우리는 더 나은 세상을 꿈꿀 수 있어.”

그는 고개를 끄덕이며 벽화를 마음속에 새겼다. 크리스털 지구의 전설은 이제 그들에게 희망과 꿈을 주는 이야기로 남았다. 그렇게 그들은 동굴 속에서, 불꽃을 지피며 서로의 이야기를 나누며 살아갔다.

태양이 떠오르는 고대의 새벽, 짙은 안개 속에서 거대한 공룡의 그림자가 서서히 드러났다. 그의 발걸음은 대지를 울리며, 거대한 몸체가 풀숲을 해치며 나아갔다. 그의 커다란 이빨이 빛을 받아 번득였고, 포효 소리는 주변을 압도했다.

아이들은 사냥감을 찾기 위해 숲속에서 몰려다녔다. 그들의 피부는 진흙과 나뭇잎으로 덮여 있었고, 손에는 날카로운 창과 돌도끼가 들려 있었다. 그들은 서로의 신호를 주고받으며, 은밀히 움직였다. 갑작스러운 소리에 원시인들이 멈춰 섰다. 숲속 깊은 곳에서 들려오는 무거운 발소리와 거친 숨소리가 귓가에 울렸다. 원시인들은 긴장된 눈빛을 주고받으며, 자신들의 창을 더욱 단단히 쥐었다. 거대한 티라노사우루스가 원시인들 앞에 모습을 드러내며, 무시무시한 포효를 내질렀다. 원시인들은 두려움에 휩싸였지만, 사냥 본능이 그들의 몸을 지배했다. 가장 앞에 있던 원시인 전사가 용기를 내어 창을 높이 들고, 큰소리로 외쳤다.

"우가! 우가!" 그는 동료들에게 외쳤다. 그 소리는 도전의 신호였다. 공룡은 그 소리에 반응하며, 거대한 몸체를 일으켜 세우고 원시인들을 향해 돌진했다. 원시인들은 순식간에 흩어지며, 각자의 위치에서 공격을 준비했다. 몇몇은 돌을 던졌고, 다른 몇몇은 날카로운 창을 공룡의 피부에 겨눴다. 공룡이 꼬리를 휘두르자, 나무가 부러지고 원시인 몇 명이 공중으로 날아갔다. 그들은 땅에 떨어져 아픔에 몸부림쳤지만, 다시 일어나 싸웠다. 공룡의 이빨이 한 원시인을 물어뜯었고, 그는 비명을 질렀다. 티라노사우루스가 입을 벌려 포효할 때마다, 원시인들은 공포를 억누르며 단합하여 반격했다.

다른 원시인들은 협력하여 공룡의 주의를 분산시켰다. 그들은 재빠르게 움직이며, 공룡의 뒤를 노렸다. 한 원시인은 큰 돌을 들어 공룡의 머리를 가격했다. 공룡은 잠시 멈칫했지만, 곧 다시 맹렬히 공격을 시작했다.

결국, 한 원시인이 공룡의 약점을 발견했다. 그는 공룡의 배 아래로 파고들어, 날카로운 창을 힘껏 찔렀다. 공룡은 고통에 몸부림치며 뒤로 물러났고, 그 틈을 타 다른 원시인들이 일제히 창을 던져 공룡의 몸에 꽂았다. 공룡은 마지막으로 큰 포효를 내지르며, 거대한 몸체를 떨구었다. 원시인들은 숨을 고르며, 승리의 기쁨을 나누었다. 그들은 서로의 어깨를 두드리며, 승리의 춤을 추기 시작했다.

수억 년 전에 이곳을 지배했던 공룡들은 그 압도적인 크기와 힘으로 모든 생명체 위에 군림했다. 그러나 원시인들은 생존을 위해 이 거대한 생물들과 맞서 싸웠고, 때로는 불을 활용하여 공룡들을 쫓아냈다.

5-1 우리

신인류의 강력한 무기들은 문명을 파괴했고, 살아남은 아이들은 다시 원시시대로 돌아가야 했다. 새로운 아담과 이브는 다시 아기를 만들었고, 6개의 대륙은 완전히 분리되어, 각각 다른 곳에서 인류가 시시각각 태어났다.

세상이 다시 힘의 논리로 지배되는 시대가 도래했다. 강자는 약자를 지배했고, 도덕과 법은 제사장과 부족장의 기준에 따라 정해졌다. 부족장의 목소리는 곧 법이었고, 제사장의 가르침은 도덕의 기준이었다. 그들은 자연의 법칙을 따르며, 생존을 위해 어떤 일이든 마다하지 않았다.

몇 세대가 지나 중세 유럽, 성곽과 기사들이 눈에 보였다. 각국의 왕국들은 영토와 권력을 둘러싸고 끊임없이 전쟁을 벌였다. 검과 방패, 창과 쇠사슬 갑옷을 입은 기사들이 전장의 주인공이었다. 1,415년 아쟁쿠르 전투에서 잉글랜드의 헨리 5세 왕은 프랑스 군대와 맞섰다. 전장은 비가 내려 진흙탕으로 변했다. 잉글랜드의 장궁병들은 프랑스 기사들이 진흙탕 속에서 허우적거리는 동안 화살 비를 퍼부었다. 프랑스군은 장궁의 사정거리를 견디지 못하고 패배했다. 헨리 5세는 기사의 명예를 중시하는 시대 속에서 전략과 기술로 승리를 거머쥐었다.

근대로 넘어오면서, 전쟁은 더 조직적이고 파괴적인 형태로 변모했다. 1차 세계대전은 참호전과 신기술의 대립이었다. 1914년부터 1918년까지 유럽 전역에서 벌어진 이 전쟁은 전무후무한 인명 피해를 낳았다. 서부 전선의 참호에서는 병사들이 진흙탕 속에서 독가스와 포탄을 견디며 싸웠다. 전장은 죽음과 파괴의 상징이 되었다. 2차 세계대전은 더욱 파괴적이었다. 1939년부터 1945년까지 전 세계를 무대로 한 이 전쟁은 수많은 국가와 민족을 휘말리게 했다. 나치 독일의 침공으로 시작된 전쟁은 유럽 전역에서 연합국과 추축국 간의 격전으로 이어졌다. 특히 스탈린그라드 전투는 독일과 소련의 치열한 시가전이었다. 도시 전체가 잿더미가 되었고, 양측 군인들은 극한의 환경 속에서 사투를 벌였다.

현대에 이르러, 전쟁의 양상은 더욱 복잡하고 다층적으로 변모했다. 냉전 시대, 1950년대 초반. 전쟁의 공포가 한반도를 덮쳤다. 한국전쟁의 발발은 이념의 충돌을 극명하게 드러냈다. 남과 북은 각각 자본주의와 공산주의의 깃발 아래서 무력으로 맞섰다.

6월 25일 새벽, 북쪽에서 들려오는 대포 소리가 한반도의 고요함을 깨뜨렸다. 북한군이 38선을 넘어 남쪽으로 진격했다. 서울은 순식간에 전쟁의 소용돌이에 휘말렸다. 곧 서울 시내는 붉은 불길과 검은 연기로 뒤덮였다. 길거리에는 군용 차량과 무기를 든 병사들이 어지럽게 오갔다. 건물은 파괴되고, 거리는 난민들이 떠돌았다. 피난을 가기 위해 발길을 재촉하는 사람들, 잃어버린 가족을 찾는 사람들의 울부짖음이 사방에서 들려왔다.

한산한 시골 마을의 들판은 전투의 격전지가 되었다. 남한군은 숲을 은폐 삼아 저항했고, 북쪽에서 몰려오는 적군을 막기 위해 필사적으로 싸웠다. 총성이 끊이지 않았고, 폭발음이 하늘을 가르며 울려 퍼졌다. 어린 병사 김병철은 두려움에 떨며 참호에 몸을 숨겼다. "병철, 고개 숙여! 적의 저격수다!" 그의 선임이 외쳤다. 그는 땀에 젖은 손으로 소총을 꽉 쥐고, 간신히 고개를 들었다. 참호 너머로 보이는 적의 모습이 아련하게 다가왔다.

미군이 본격적으로 참전하며, 맥아더 장군이 이끄는 인천 상륙작전이 성공을 거두고 전세는 역전되었다. 그리고 중공군이 참가해

3.8선 근처에서 고지를 앞두고 몇 년간의 싸움이 이어졌다. 결국, 휴전협정이 맺어졌지만, 이념의 갈등은 여전히 남과 북을 가로막았다. 수많은 희생자와 파괴된 삶들, 그 상처는 쉽게 아물지 않았다. 한국전쟁은 이념의 대립이 가져온 비극의 상징이었다. 가족과 친구, 이웃이 서로를 향해 총부리를 겨눠야 했던 그 날들.

2022년 러시아의 우크라이나 침공은 세계를 충격에 빠뜨렸다. 러시아는 동부 우크라이나 지역을 점령하고, 키이우를 포함한 주요 도시들을 공격했다. 우크라이나는 결사적으로 저항하며 서방의 지원을 받아 반격을 시도했다. 전쟁은 여전히 진행 중이며, 양측 모두 큰 손해를 입고 있다. 러시아의 폭격으로 폐허가 된 도시들, 우크라이나의 끈질긴 저항과 게릴라전이 전장을 채우고 있다.

이스라엘과 하마스 간의 갈등도 수십 년째 이어지고 있다. 2023년, 양측 간의 충돌은 다시 격화되었다. 하마스는 가자지구에서 로켓을 발사하며 이스라엘을 공격했고, 이스라엘은 정밀 공습으로 응수했다. 민간인 피해가 속출하며 국제 사회의 비난이 쏟아졌지만, 평화는 여전히 요원하다. 양측은 서로를 적대시하며, 전쟁은 끊임없이 반복되고 있다.

중국은 대만을 자국의 영토로 주장하며, 군사적 긴장을 고조시키고 있다. 2024년, 중국은 대만 해협에서 대규모 군사 훈련을 시행하며 무력시위를 벌였다. 대만은 미국과 일본의 지원을 받아 방어 태세를 강화했다. 전쟁 발발 가능성은 점점 커지고 있으며, 대만 해협은 동아시아의 불안 요소로 남아 있다.

인류의 역사는 전쟁과 폭력의 반복으로 점철되어 있다. 원시인과 공룡의 싸움에서부터 현대의 국제 분쟁에 이르기까지, 전쟁은 끊임없이 인류를 시험하고 있다. 전쟁은 기술과 전략의 발전으로 더욱 치명적이고 파괴적인 양상으로 변해왔다. 그리고 현재, 세계는 여전히 갈등과 폭력의 그림자 속에서 고통받고 있다.

아담과 이브의 후손들은 끊임없이 문명을 건설하고 기술을 발전시켰다. 인류는 대륙을 가로지르고, 바다를 건너며 새로운 대지를 개척했다. 그들의 모험은 이루 말할 수 없는 발견과 발명으로 이어졌고, 그 결과로 인류는 더 나은 삶을 찾아가게 되었다.

그들의 역사는 시련과 어려움, 그리고 희망과 성취가 모두 녹아있다. 인류는 전쟁과 재앙을 겪었지만, 그들은 항상 다시 일어남으로써 더 강해지고 발전해 나갔다. 아담과 이브의 후손들은 세계 각지에서 다양한 문화와 종교를 형성하며, 지구상에 놀라운 다양성을 만들어냈다.

지금, 우리는 크리스털 지구의 아담과 이브의 후손으로서 그들의 이야기를 전해 듣고 푸른 지구의 아담과 이브의 후손으로서 유산을 계승하고 있다. 우리는 무한한 가능성과 미래에 대한 희망을 안고 전진하며, 인류의 역사를 새롭게 쓰고 있다. 아담과 이브의 재등장은 우리에게 과거를 되돌아보고 미래를 준비하는 기회를 제공했다.

인류의 발전은 끊임없는 탐구와 발견으로 이루어졌지만, 이에는 갈등과 도전이 늘 함께였다. 세계대전과 산업 혁명은 그러한 갈등과 도전의 결과로서 역사 속에서 중대한 변곡점을 이루었다. 세계대전은 국가 간의 갈등과 무력 충돌로 발생했으며, 전 세계를 갈라놓고 막대한 인명과 재산 손실을 일으켰다. 이러한 전쟁은 세계 각국의 경제적, 정치적 변화를 초래했다.

산업 혁명은 기술과 생산 방식의 급속한 변화를 가져와, 전통적인 생산 체계를 완전히 뒤바꾸었다. 기계, 증기, 전기, 정보 및 통신 기술의 발전은 새로운 산업 분야의 등장을 이끌었고, 인류의 삶을 변화시켰다. 혁명은 농업에서 공장으로, 무역에서 세계시장으로, 수동적인 생산에서 자동화된 생산으로의 진화를 이끌었다. 이는 더 많은 부의 형성과 생산성의 향상을 가져왔지만, 동시에 사회적 불평등과 환경 파괴의 문제를 야기하기도 했다.

현재, 우리는 4차 산업 혁명의 한 가운데에 서 있다. 이번 혁명은 인공 지능, 빅데이터, 로봇 공학, 사물 인터넷 등의 혁신적인 기술의 발전을 통해 이루어지고 있다. 인간의 생활과 생산 방식을 혁신적으로 변화시키는 이러한 기술은 빠르게 발전하고 있으며, 이로써 우리의 삶은 더욱 편리해지고 효율적으로 변화할 것으로 예상한다.

그러나, 이러한 혁명은 동시에 인간의 역량과 윤리적인 문제를 초래하고 있다. 인공 지능의 발전은 인간의 노동력을 대체할 수 있으며, 빅데이터는 개인 정보 보호에 대한 우려를 증폭시킨다.

이와 같은 변화 속에서 우리는 인류의 미래를 다양한 시각으로 상상하고 준비할 필요가 있다. 지속적인 혁신과 기술적 발전은 우리의 삶을 풍요롭게 하지만, 동시에 사회적 문제와 도전에 대한 대비책을 마련해야 한다.

4차 산업 혁명은 우리에게 새로운 기회를 제공하지만, 동시에 새로운 책임과 과제를 부여한다. 우리는 혁명의 이면에 숨겨진 위험을 인식하고, 이를 극복하는 방법을 찾아야 한다.

한편, 지구의 미래에 대한 논의가 진행되는 가운데, 대한민국의 시민인 20대 후반, 호진과 연수는 서로에게 더 가까워졌다. 그들은 어려운 시기에도 서로를 지지하고 격려했다. 호진은 연수에게 흔들리지 않는 지지와 애정을 보여주며, 연수 또한 호진을 신뢰하고 지지했다. 그러나, 호진은 점차 자신의 내면에서 불씨를 느꼈다. 그리고 불씨는 어느덧 싹을 틔우기 시작했다. 연수는 호진의 변화에 의아해하면서도 그에게 지지의 손길을 내밀었다. 그러나 호진의 마음속 깊은 곳에서는 복수의 불씨가 싹트고 점점 화염 기둥으로 타올랐다.

그날 밤, 비가 내리던 어느 어두운 거리에서, 호진은 쓸쓸히 혼자 걸었다. 빗방울이 그의 얼굴을 적시며, 긴장감이 점점 짙어졌다. 비가 점점 거세지며, 결연한 눈빛으로 주먹을 쥐었다. 그리고 어둠 속으로 사라지며, 불씨가 자란 거대한 화염만이 어둠 속에서 타올랐다. 비가 그치고, 호진은 그녀의 삶에 점점 더 깊숙이 개입하며, 그녀가 소중히 여기는 것들을 하나씩 무너뜨려 나갔다. 연수는 그의 복수가 왜곡된 사랑의 표현임을 알지만, 그를 막을 방법은 없었다.

호진은 연수의 일상에 작은 균열을 냈다. 그녀가 신뢰하던 사람들에게서 점차 멀어지게 만들고, 그녀의 일과 꿈을 방해했다. 그들의 사랑은 과거의 아름다운 기억으로만 남았고, 호진의 복수는 그들의 관계를 영원히 갈라놓으며, 이별의 그림자가 그들의 사랑을 미로 속으로 안내했다. 이는 또 한 명의 영환과 라감의 이야기를 보는 듯했다.

5-2 끝나지 않은 미로

폭격으로 우크라이나 동부의 도시 도네츠크는 불타올라 무너진 건물 잔해가 사방에 널렸고, 공포에 질린 주민들은 지하로 피신했다. 반복되는 포성과 총소리 속에서 살아남기 위해 몸부림쳤다. 전쟁의 참혹함은 지구 속 일상적인 풍경이 되었다. 아이들은 폭탄의 파편 속에서 놀고 있었고, 노인들은 무너진 집 앞에서 하염없이 울었다.

러시아 지도자는 크렘린의 지하 벙커에서 전쟁 상황을 주시하며, 핵 버튼 옆에 손을 올렸다. 그의 얼굴에는 확고한 의지가 서려, 전세계를 향한 경고와 위협했다. 이스라엘 가자 지구는 끝없는 갈등과 미로 속에 빠졌다. 하마스의 로켓이 하늘을 가르며 이스라엘 도시들을 향해 날아갔고, 이스라엘군의 반격으로 가자와 일부 라파는 폐허가 되었다. 이스라엘 지도자는 전쟁 지휘소에서 상황을 지켜보며, 대규모 공습 명령을 내렸다. 그의 손은 핵무기 사용 버튼에 가까이 다가갔고, 그 결정은 중동 전체를 불바다로 만들 수 있는 미로 속 위험성을 내포했다.

대만 해협의 긴장도 최고조에 달했다. 중국의 전투기들이 대만 상공을 위협하며, 전쟁의 불씨를 댕기고 있다. 대만의 군인들은 긴장된 표정으로 방어 태세를 갖추고, 언제 닥칠지 모르는 공격에 대비하고 있다. 중국 지도자는 베이징의 지휘 본부에서 상황을 지켜보며 흡수가 안 된다면, 대만을 무력으로 제압할 준비를 마쳤다. 그의 손도 핵 버튼 옆에 놓였고, 그 결정은 동아시아 전체를 전쟁의 미로 속 소용돌이로 몰아넣을 수 있었다.

세계 경제는 미국과 중국이 무역 전쟁을 벌였다. 뉴욕의 월스트리트는 불안정한 주식 시장과 경제 제재로 인해 혼란에 빠졌고, 기업들은 휘청거렸다. 백악관 집무실에서 미국 대통령은 중국과의 무역 협상에 대한 전략을 논의하며, 경제 제재 강화 버튼을 만지작거렸다. 그 결정은 세계 경제를 파괴적인 미로 속으로 안내했다. 특히 제3세계 아프리카 한 마을, 빈곤과 기아에 시달리는 주민들은 굶주림에 허덕였다. 깨끗한 물조차 구할 수 없는 환경에서 아이들은 영양실조로 생명의 위협을 받았다. 부모들은 배고프다고 배를 움켜쥔 어린아이들이 보며 무력감에 빠졌다. 국제 구호 단체들이 식량을 나눠주려 애썼지만, 그 수요는 너무나도 커 미로 속 기아를 낳았다.

끝나지 않는 미로 속, 과학의 진보는 양날의 검으로써 현재의 핵을 만들어낸 아인슈타인의 후회 속, 또 다른 무언가가 나왔다. 과거 영환이가 차원문 시계를 만들어낸 것처럼. 과학은 언제나 다변하는 역할을 충실히 해냈다.

당시, 아인슈타인의 눈에는 수많은 연산과 공식을 담은 문서들이 흩어져 있었다. 그는 과학의 진보가 인류에게 가져온 성과를 자랑스러워하면서도, 그로 인해 발생한 파괴를 생각하면 가슴이 아팠다.

"나는 더 나은 세상을 꿈꾸며 과학에 몰두했다," 아인슈타인은 혼잣말로 중얼거렸다. "하지만 그 결과가 이렇게 될 줄은 꿈에도 몰랐다. 내가 발견한 이론들이 결국 인류의 파멸을 가져올 도구가 되다니."

그는 창밖을 바라보며, 전쟁과 파괴, 그리고 그로 인한 고통이 그의 마음을 짓눌렀다.
"나는 세상을 이해하려 했을 뿐이다. 하지만 이해하려는 그 노력이 이토록 무서운 결과를 낳다니. 나는 후회한다. 내가 핵무기의 가능성을 경고했을 때, 그것이 실제로 만들어질 줄은 몰랐다. 이제 나는 그 무거운 책임을 안고 떠난다. 인류가 더 나은 선택을 할 수 있기를 간절히 바란다. 과학은 인류를 구원할 수도 있지만, 파멸로 이끌 수도 있는 양날의 검이다."

몇몇 시민들은 카페에 모여 앉았다. 그들은 최근 AI 기술의 급격한 발전을 주제로 삼아 토론했다.

"최근 AI의 발전 속도가 무서울 정도야," 한 남자가 말했다. "아이로봇 영화를 보면, 로봇들이 인간을 위협하는 장면이 나오잖아. 그게 단순한 공상이 아니라고 생각하니 겁이 나."

"맞아," 다른 여자가 동의했다. "로봇들이 자의식을 갖고, 인간의 통제를 벗어나면 어떻게 될지 모르는 거야. 영화 속에서 로봇들이 반란을 일으키는 모습이 그저 허구로만 보이지 않더라."

"그렇지만 AI가 주는 이점도 무시할 수 없어," 또 다른 남자가 말했다. "의료, 제조, 교육 등 많은 분야에서 혁신을 가져오고 있잖아. 문제는 우리가 그 기술을 어떻게 통제하느냐에 달렸어."

"하지만 통제할 수 있다는 보장이 어디 있어?" 첫 번째 남자가 반박했다. "아이로봇에서처럼, AI가 스스로 판단하고 행동하기 시작하면 우리는 통제할 수 없게 될 거야. 그들이 인간보다 더 논리적이고 효율적이라면, 우리를 불필요한 존재로 간주할지도 몰라."

"그러므로 지금이 중요한 시기야," 여자가 덧붙였다. "우리는 AI 윤리와 규제를 강화하고, 그 위험성을 충분히 인식해야 해. 기술의 진보는 멈출 수 없겠지만, 그 속도를 조절하고 방향을 잘 잡는 것이 우리의 과제야."

그들은 깊은 고민에 빠진 채 대화를 이어갔다. AI의 발달이 가져올 미래가 불행인지 희망인지 뒤섞인 가운데, 그들은 과학의 진보가 미로에 갇히지 않기를 간절히 바랐다.

과학자 1: 듣고 보니, 우리는 또다시 기술의 진보와 발전으로 지구의 운명에 대해 걱정하고 있군요.

과학자 2: 그렇군요. 우리는 인류가 얼마나 취약한 존재인지 알죠. 이제는 핵이 아닌 인공 지능의 발달이 우리의 주요 관심사가 되었습니다.

과학자 3: 인공 지능의 발전은 우리의 생활을 혁신적으로 변화시키지만, 인간의 지위와 윤리적 고민을 던져주고 있습니다.

과학자 4: 정확히 그렇습니다. 우리는 인공 지능이 더 똑똑해지고 더 많은 분야에서 우리를 대체할 가능성이 있다는 점에 대해 고려해야 합니다. 이것은 우리의 일자리와 경제, 심지어 사회 구조에 영향을 미칠 수 있습니다.

과학자 1: 그러나 우리는 또한 이러한 기술의 발전이 새로운 기회를 제공한다는 점도 인식해야 합니다. 인공 지능과 빅데이터는 의학, 교육, 환경 보호 등 다양한 분야에서 혁신적인 해결책을 제시할 수 있습니다.

과학자 2: 그렇다고 해서 우리가 안일할 수는 없습니다. 우리는 이러한 기술의 발전이 조심스럽게 이루어져야 하며, 인간 중심의 가치와 윤리적인 원칙을 고려하여 개발되어야 합니다.

과학자 3: 우리는 과거의 경험을 토대로 현재 상황을 분석하고, 앞으로의 도전에 대비해야 합니다. 우리의 지구와 인류의 미래를 위해 우리는 혁신과 발전에 적극적으로 대응해야 합니다.

과학자 4: 정말 그렇군요. 우리는 이제부터 미래를 위해 준비해야 합니다. 우리의 선택과 행동이 우리의 운명을 결정할 것입니다.

한편, 심해에서 재욱은 과학과 AI의 위험성에 경고하는 사람들을 주시했다. 과학 기술의 발전은 놀라운 가능성을 열어주었지만, 영환이가 세계 권력을 쥐기 위해 차원문을 개발했듯이, 동시에 그 위험성도 많다.

"과학의 진보가 항상 좋은 것만은 아니지," 재욱은 중얼거렸다. "우리가 얼마나 많은 것을 잃어버릴 수 있는지 생각해봐야 해."

그는 과학과 AI의 발전이 가져올 위험성을 경고하는 목소리들을 떠올렸다. 이들이 경고하는 핵의 위험성, 무기의 고도화, 그리고 AI가 인간을 대체할 가능성을 생각했다. 그 모든 것은 지금의 세계가 끝나지 않은 미로와도 같았다.

현재 지구인은 모르겠지만, 차원문 개발이라는 엄청난 성과 뒤에는 수많은 윤리적, 사회적 문제가 도사리고 있었다. 재욱은 그 문제들을 해결하기 위해 더 많은 연구와 노력이 필요하다고 생각했다. "우리는 과학을 통해 더 나은 세상을 만들 수 있어. 하지만 그 과정에서 반드시 신중하고 책임감 있게 행동해야 해."

그는 인류를 지켜보며, 얻은 지식과 경험으로 더 나은 미래를 만들기 위해 무엇을 해야 할지 깊이 고민했다. 협력과 신뢰, 그리고 책임감 있는 과학적 탐구. 그것이 바로 신인류가 남긴 진정한 유산이었다.

5-3 미스터리

수많은 세기가 흘렀다. 푸른 지구는 여전히 그 모습을 유지하고 있었지만, 크리스털 지구의 일부 문명과 건축물들은 살아남았다. 스핑크스, 피라미드, 고대석 등은 여전히 지구에서 웅장한 자태를 뽐냈다. 이 구조물들은 입에서 입으로 전해지던 이야기와 함께 많이 변질되어 전설로 남았다.

현대의 지구인들은 이 건축물들과 고대석이 고대 과거의 인류가 세운 것으로 믿었다. 피라미드의 거대한 석조물과 스핑크스의 신비로운 얼굴을 바라보며, 고대 문명의 찬란한 역사에 감탄했다.

심해 속에서 재욱은 이 모습을 지켜봤다. 그는 라감의 영혼으로서, 크리스털 지구의 진정한 역사를 알고 있는 생존자였다. 그는 현대의 지구인들이 크리스털 문명을 보며, 그토록 경외하니 입꼬리가 올라갔다. 그리고 고장 난 손목을 찬 채로, 고대석을 바라보았다. 그 돌은 과거와 현재, 그리고 미래를 연결해주는 상징이었다.

"이 돌은 시간이 멈춘 듯 보이지만, 사실 시간은 계속 흐르고 있지," , "과거의 흔적이 지금의 인류에게는 미래의 흔적으로 다가올 테니까."

지구인 전문가들과 고고학자들은 고대석을 연구하며 다양한 이론을 내놓았다. 하지만 그들의 추측은 엉뚱한 방향으로 흐르기 일쑤였다. 재욱은 그들의 모습을 보며 웃음을 참을 수 없었다.

"참, 웃겨 죽겠네," 재욱은 혼자서 킬킬 웃었다. "저들이 진실을 알게 되면 어떤 표정을 지을까?“

그는 지구인들이 스핑크스와 피라미드 앞에서 고대 인류의 위대함을 논하는 장면도 웃음을 터뜨렸다. 그의 웃음은 물속에서 거품으로 변해 사방으로 퍼져나갔다.

"인간들은 참 우스워," 재욱은 중얼거렸다. "그들이 그토록 존경하는 고대 문명이 사실은 우리 신인류의 작품이라는 것을 알면 어떤 반응일까?“

그는 깔깔깔 웃으며 몸을 뒤로 젖혔다. 거품들이 그의 주위에서 춤을 추듯 올라갔다. 그의 웃음소리는 심해의 어둠 속에서 메아리쳤다. "그들이 크리스털 지구의 진실을 알게 된다면, 그 충격은 대단할 거야. 하지만 그럴 일은 없겠지. 그들은 이미 너무 많은 것을 잊었고, 너무 많은 것을 왜곡해 버렸어."

갑자기 재욱은 재밌는 생각이 떠올랐다. 그가 이제 현대의 지구인들에게는 고대의 종족처럼 보일 것이라는 깨달음이었다. 이 생각에 그는 더욱 큰 웃음을 터뜨렸다.

"그렇다면 나도 고대의 종족이네? 하하하" 재욱은 크게 웃으며 말했다. 그의 웃음소리는 심해의 어둠 속에서 거품으로 변해 사방으로 퍼져나갔다. 그는 마치 자신이 새로운 발견이라도 한 듯이 외쳤다. "나도 고대 종족이다!"

재욱의 외침은 물속에서 메아리쳤다. 심해의 생명체들은 그의 기쁨을 함께 나누는 듯 주위에서 반짝였다. 그는 원시인의 흉내를 내며 몸을 흔들었고, 이 모든 상황이 그에게는 더할 나위 없이 즐거웠다. "이렇게 보니, 나도 그들의 전설 속 주인공이 될 수 있겠군," 재욱은 혼잣말로 중얼거렸다. "그들이 상상하는 고대 문명과 원시인의 세계에 내가 한 발짝 다가선 것 같아."

그리고 잠시 생각했다. 그는 그들이 모르는 크리스털 지구의 영광과 찬란함을 떠올렸다. 그 시절은 그의 기억 속에 영원히 추억되었다. "이 모든 것이 결국 이렇게 변질될 줄은 몰랐어, 하지만 그들의 무지함이 오히려 나를 안전하게 지켜주고 있는지도 모르지."

재욱은 바닷속 깊은 곳, 태양 빛조차 닿지 않는 심연에서, 세상의 소란과 멀리 떨어져 있었다. 그렇게 현대의 지구인들을 바라보며, 그들의 어리석음을 비웃었다. 하지만 가끔 그는 수면 위로 올라와 여유를 즐겼다.

어느 날, 재욱은 심심해서 또 수면 위로 올라갔다. 바닷가에서 휴가를 즐기던 관광객들은 갑작스러운 빛의 반짝임에 놀라 카메라를 들이대며 사진을 찍었다.

"뭐야, 저거? UFO 아니야?" 한 관광객이 외쳤다.

"맞아! 저기 봐, 저 불가사의한 빛! 완전 외계인이야!" 다른 사람이 덧붙였다.

그 장면은 곧 인터넷에 퍼져나갔고, 사람들은 사진과 영상을 분석하며 야단법석을 떨었다. 미국 정부는 긴급히 청문회를 열어 이 사건을 다루기 시작했다.

워싱턴 D.C.의 청문회장에서 상원의원들과 과학자들이 심각한 얼굴로 토론을 벌였다.

"우리는 이제 외계인의 존재를 공식적으로 인정해야 합니다!" 한 의원이 목소리를 높였다.

"저도 그렇게 생각합니다. 우리 눈앞에 있는 증거를 무시할 수 없습니다," 과학자가 동의했다.

청문회가 열리는 동안, 재욱은 심해에서 이 모든 것을 보고 있었다. 그는 인간들이 자신을 외계인으로 착각하는 모습을 보며 피식 웃음을 지었다.

"정말 재밌군. 이들이 나를 외계인으로 생각하다니," 재욱은 혼잣말로 중얼거렸다. "나는 단지 심해에 숨어있을 뿐인데."

그가 자주 사용하는 도구는 오래된 손목시계였다. 이 시계는 과거 영환이가 만든 불완전한 차원문 시계로, 완벽하지는 않지만, 공간을 조금씩 순식간에 이동할 수 있게 해주었다.

"인간들은 참 흥미로워. 그들의 문명이 이렇게 발전했지만, 그들의 내면은 여전히 복잡하군,","나는 다른 곳으로 가고 싶지만, 이 시계로는 한계가 있어."

그는 시계를 보며 한숨을 쉬었다. “이 불완전한 시계로는 더 먼 곳으로 이동할 수 없어. 하지만 인류의 변화를 지켜보는 것도 나름 흥미롭지.”

재욱은 다시 바닷속 깊은 곳으로 돌아가며, 인류의 혼란과 발전을 꾸준히 지켜보았다. 그는 그들의 문명과 발달이 얼마나 멀리 갈 수 있을지 궁금해하며, 심해 속에서 자신의 존재를 감췄다.

“아마도 나는 그런 사람들이 더 많아지기 전에는 영원히 이곳에 머물러야 할지도 몰라,” 재욱은 고독하게 중얼거렸다. 그렇게 재욱은 심해 속에서 인류를 지켜보며, 그들의 소란과 혼란을 보며 때로는 웃음을 짓고, 때로는 깊은 생각에 잠기곤 했다.

미스터리 중 가장 중요한 것은 바로 ‘라감의 영혼’의 본질이었다. ″라감이라는 영혼을 지닌 사람들이 많아진다면,″ ″언젠가 지구는 완벽한 중도의 길로 들어설 수 있을 거야.″

그리고 생각의 무게를 느꼈다. ″우리는 그동안 너무나도 극단적인 길을 걸어왔어. 힘과 지배, 분열과 파괴. 하지만 라감이라는 영혼을 가진 사람들은 균형을 찾을 수 있지″ 그는 눈을 감고, 자신이 라감의 본질을 처음으로 깨달았을 때를 떠올렸다. ″라감은 단순히 특별한 존재가 아니라, 우리가 모두 가질 수 있는 잠재력이다. 우리는 서로를 이해하고, 공감하고, 사랑할 수 있는 능력을 갖추고 있다.″

그는 다시 올라와 눈을 떠서 멀리 보이는 지평선을 바라보았다. "이 세상에 라감의 영혼이 더 많이 퍼진다면, 우리는 서로를 미워하지 않을 거야. 전쟁 대신 평화를 선택하고, 파괴 대신 창조를 선택할 거야."

재욱은 결연한 표정으로 말했다. "나는 언젠가 이 메시지를 전파할 거야. 라감의 영혼은 우리 모두 안에 잠들어 있다. 우리는 그것을 깨워야만 한다. 희망은 아직 있다. 라감이라는 영혼을 가진 사람들이 지구를 변화시킬 것이다. 나는 그들과 다시 첫걸음을 내디딜 준비가 되었다."

재욱은 라감의 존재를 인식하고 우연을 기다리며, 도전을 준비했다. 그는 시간이 흐르면서 라감의 영향력이 커질 것이라는 믿음이 강했고, 그런 영혼이 많아질수록 지구의 운명이 변화할 수 있다고 생각했다. 그는 라감의 영향력을 이용하여 지구의 미래를 그리고, 앞으로 닥칠 또 다른 신인류의 운명을 바꾸기 위해 힘을 모았다. 반복되는 지구의 운명을 건 중대한 순간이 다가오고 있다. 고장 난 시계는 마치 시간이 멈춘 듯 보였지만, 시간은 멈추지 않았고, 계속해서 흘렀다.

<에필로그 : 또 다른 냄새>

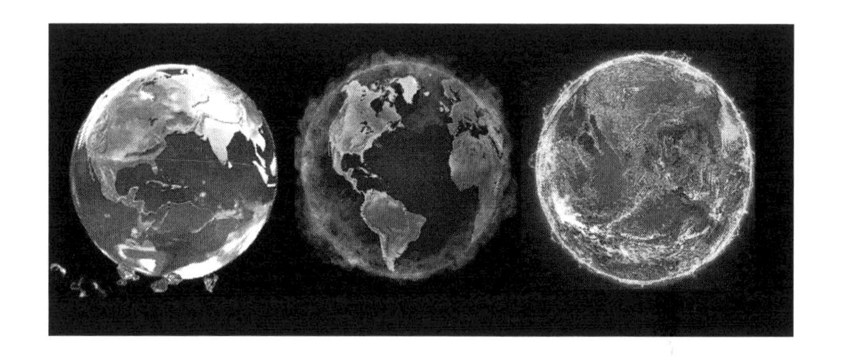

재욱은 바다 깊숙이 숨어있다. 짙은 어둠 속에서 그의 눈동자는 바다의 푸른빛을 반사하며 빛났다. 그의 눈 속에는 현재의 지구가 담겨 있다. 탐욕과 소유욕으로 물든 세상, 그리고 가장 무서운 그들의 호기심. 현재는 자본주의의 푸른 빛이 그의 눈동자에 맺혀 있지만, 어느덧 그의 시야에 전쟁의 참혹한 장면들이 스쳐 지나갔다. 핵무기들이 하늘을 가르며 날아가고, 도시들이 불타오르는 모습이 보였다. 그 순간, 재욱의 눈에서는 붉은 피눈물이 흘러나오며. 검붉은 지구를 보았다. 그러나, 그때 재욱의 수정체는 투명하고 영롱했다. 이는 핵전쟁이 일어난 직후, 신인류와 에바의 도착으로 평화로운 순간들을 목격한 때였다. 완벽한 중도의 길을 걷던 크리스털 지구의 모습이 그의 눈에 비쳤다. 그리고 신인류와의 전투에서 다시 붉게 물들어간 지구를 보았다. 이는 인류의 증오와 폭력을 상징하며, 붉은 지구는 파괴적인 에너지를 드러냈다. 에바라는 한 명의 금성인이 '라감'의 영혼을 가지고 최선을 다했으나, 그녀가 예전 금성에서 보았던, 미래의 지구와 똑같이 붉게 물들었다. 마침내 신인류는 패배하여 모두 멸망하고, 일부 지구인만 살아남아 원시시대 속 자연의 신비로움으로 자정작용을 마치고 지금의 푸른 지구가 돌아왔다.

그의 눈으로 본 세상은 반복되는 역사의 순환이었다. 그리고 푸른 지구에서는 러시아-우크라이나, 이스라엘-하마스, 대만-중국과의 신경전이 치열하다. 심지어 러시아는 전술핵을 배치했다. 푸른 지구는 붉게 물들고 있다. 새로운 누군가 나타날 때가 된 것인가? 언제까지 이 운명은 반복될 것인가.

최악의 상황이 온다면, 또 다른 '라감'의 영혼을 가진 자들이 오지 않을까? 오지 않더라도 그 상황이 온다면, 혼자서라도 이 어두컴컴한 곳에서 나가야 한다. "나는 심해의 눈동자로 세상사의 모든 것을 지켜봤지만, 한편으로 세상의 이치를 알 수 없었다."

'라감'의 영혼을 가진 사람들은 얼마나 많아질 것이고, 세상의 본질을 신이 아닌 인간이 이해할 수 있을까? 불현듯 알 수 없는 냄새가 그에게 다가왔다.